L'ŒIL D'HORUS

Tome 2 :
L'Assassin du Nil

Tome 3 :
Le Maître des Deux Terres

87, quai Panhard-et-Levassor – 75647 Paris cedex 13
ISBN : 978-2-0812-4198-5

ALAIN SURGET

L'ŒIL D'HORUS

Tome 1

Flammarion Jeunesse

Au tout début des temps
quand les dieux n'étaient pas encore scellés
dans la pierre...

À Christine,
cette trilogie égyptienne.

Chapitre 1

Le fils du roi

Nekhen, en Haute-Égypte.

La fête résonnait dans tout le palais. Vêtues d'une ceinture de perles et d'un collier, les danseuses se mouvaient au son des luths et des flûtes doubles. Leurs corps sombres et huilés brillaient sous le feu des torches et des lampes, accrochant des reflets à leurs bras et à leurs jambes. Le roi, pourtant, suivait les danses d'un œil distrait, l'esprit ailleurs. Il songeait à Menî, son fils unique de quatorze ans.

— Le spectacle ne te plaît pas ? demanda Nef'eter, son épouse, assise à sa gauche. Laisse donc les problèmes pour ce soir, et rends le sourire à nos invités.

Antaref fronça les sourcils. Il grogna, eut un geste agacé. Le serviteur, debout derrière lui, crut que son maître chassait une mouche, et il se mit à agiter frénétiquement son grand éventail en plumes d'autruche. Le chef d'orchestre claqua des doigts. Trois nouveaux musiciens vinrent immédiatement s'accroupir près des premiers et se mirent à jouer un air plus vigoureux. Les convives frappèrent dans les mains pour accompagner les tambourins ronds, les crotales et les sistres.

Antaref soupira, se tassa sur son siège. Oubiou, le chef de la Maison royale, surprit son mouvement : il fit un signe, aussitôt la musique s'éteignit, les jeunes filles s'évanouirent entre les piliers.

— Ô Nésout[1], où donc est ton fils Menî ? murmura un prince assis à sa droite.

— Il s'en est allé chasser l'hippopotame qui attaque les barques de mes pêcheurs, répondit Antaref sans tourner la tête.

— Oh ! s'il assure la sécurité sur le Nil, il sera un grand roi après toi, conclut le courtisan. C'est alors que Sinsaéré entra. Sinsaéré la belle, Sinsaéré la favorite. Nef'eter détourna le regard : elle n'aimait pas cette femme qui tentait par tous les moyens de s'attirer le cœur du roi.

— Danse, commanda Antaref.

Sinsaéré tendit ses bras, remua les poignets comme s'il se fût agi de têtes ondulantes de cobras. La musique d'une flûte longue s'éleva. Aussi fraîche qu'un friselis de vaguelettes sur le Nil. Aussi douce

1. Titre que portaient les rois de Haute-Égypte.

qu'une caresse de vent entre les lotus. Aussi légère qu'une coulée de sable bleu dans le désert libyen. Sinsaéré se déhancha, puis elle se redressa, arqua son corps, commença à tournoyer – lentement d'abord – pour bien mettre en valeur l'élégance, la grâce de ses mouvements, la souplesse et la beauté de ses formes que l'on devinait sous la transparence du voile. La jeune femme usa de tout son talent pour dérider le roi, mais elle sentait ses yeux la traverser comme si elle n'existait pas. De dépit, elle frappa le sol de son talon, s'arrêta net et se figea devant lui. Sans un regard, Antaref la congédia d'un geste de la main. Tout en reculant, Sinsaéré saisit le sourire narquois de la reine Nef'eter.

Oubiou, l'indispensable Oubiou, orchestra alors l'entrée des plats de viande. On déposa sur des guéridons des canards et des oies grasses bien dorés, rôtis à petit feu à la broche, dont la suave odeur se mêlait à celle du bois parfumé. Les invités poussèrent des « ah ! » de satisfaction puis se servirent avec les doigts. On apporta le vin de Maréotis, doux et léger, d'un blanc délicat à peine coloré d'ambre. De jeunes Nubiennes à la peau sombre circulaient entre les invités et déposaient des cônes d'onguent parfumé en équilibre sur la tête de chacun.

Antaref mangeait sans appétit, l'air maussade. Les joies de la fête ne l'atteignaient pas. Il se composait bien souvent un visage sombre, grave, mais c'était durant des cérémonies officielles ou lorsqu'il recevait les ambassadeurs du roi de Bouto[1] – dans le Delta – ou les chefs nubiens du Sud.

— Ce sont les tracas avec la Basse Égypte qui te chagrinent à ce point, ô Nésout ? risqua un de ses généraux. Je peux mener une expédition contre...

— Non, non, gronda Antaref, le temps de la guerre viendra plus tard, mais il faudra alors m'assurer d'une victoire décisive contre le Nord, général Afar.

— Nekhbet la Blanche ne fera qu'une bouchée d'Ouadjet la Rouge[2].

Comme Antaref esquissait un pâle sourire, l'officier poursuivit :

— Avec l'aide de ton armée, naturellement.

Une vieille femme, proche de l'ivresse, agita sa fleur de lotus pour attirer l'attention du roi.

— Il faut rire, ô Nésout, il faut rire. Les dieux seront chagrins si tu leur montres un visage de granite. Mais où est Menî ? Où caches-tu ton précieux fils ?

1. À cette époque (vers 3000 av. J.-C.), l'unité n'est pas réalisée entre la Haute et la Basse-Égypte.

2. La déesse vautour Nekhbet protégeait la Haute-Égypte, alors que la déesse cobra Ouadjet était vénérée dans le Delta. La première était symbolisée par une tiare blanche – couronne de la Haute-Égypte –, la seconde par un bonnet rouge – couronne de la Basse-Égypte.

Antaref marmonna quelque chose d'incompréhensible, puis déclara d'un ton las :

— Menî s'en est allé parler au scarabée d'or pour apprendre les secrets du désert.

— Oh, oh, roucoula la vieille femme en manquant renverser son cône d'onguent, il deviendra un grand souverain s'il connaît la sagesse des sables, telle que... telle que...

— Tel que le silence ! termina le roi.

Elle hocha la tête pour dire « oui, oui », et fit tomber le cône sur ses genoux.

Menî, pourtant, ne chassait pas l'hippopotame, pas plus qu'il ne guettait le léopard ni ne s'entretenait avec le scarabée dépositaire de tous les secrets soufflés par le vent. Il ne s'exerçait pas non plus au maniement de l'arc, encore moins à la flûte, au luth ou à la grande harpe sacrée. Menî ne faisait rien. Rien qui eût pu le préparer à son futur métier de roi. Et c'était bien là ce qui désolait son père.

Menî pleurait, sa petite mangouste dans ses bras. Il marchait dans les allées du jardin, répétant entre deux sanglots que son petit compagnon ne devait pas mourir. Il s'arrêta sous une palme, s'assit sur une pierre, coucha sa mangouste sur ses genoux. Allongé sur le flanc, l'œil fixe, l'animal respirait difficilement. L'oie Smon arriva en trompetant, se plaça devant Menî, voulut donner un coup de bec à la mangouste pour l'inviter à se relever et à jouer.

Une tape l'en empêcha. Furieuse, l'oie se détourna et s'en alla en se dandinant.

La petite mangouste eut un brusque tressaillement. Menî sentit la peur monter en lui. Une peur brûlante. La peur de voir mourir à l'instant sa petite mangouste sans pouvoir rien tenter pour la sauver.

— Ne meurs pas, murmurait-il, ne meurs pas.

L'animal leva la tête vers lui, le regarda de ses yeux d'ambre, puis retomba. Menî mit quelques secondes à prendre conscience que son animal familier venait de le quitter. Il fondit alors en larmes. Des larmes lourdes, salées. Voûté, la tête rentrée dans les épaules, il se vidait à longs traits, les épaules secouées par des sanglotements désespérés.

— Tu étais ma seule amie, hoquetait-il. À qui vais-je pouvoir parler maintenant ? Il n'y avait que toi qui m'écoutais, ma Chabaka d'amour.

Lorsqu'il surprit un éclat de rire envolé du palais, il ne put réprimer un cri de rage, s'enfuit au fond du jardin pour y cacher ses pleurs et sa peine. Seul. Dans le silence de sa douleur.

Antaref tapotait nerveusement le bras de son trône. Il n'aimait pas attendre. Si ce n'avait été son fils, il aurait bien fait faire trempette à l'impudent dans le bassin des crocodiles.

Oubiou vint s'aplatir devant lui.

— Menî arrive, ô grand Nésout !

Le roi lui fit signe de se relever et de se ranger dans l'ombre d'un pilier. Debout derrière lui contre le dossier du trône, Sinsaéré la favorite eut un gloussement de perdrix lorsque Menî entra. Elle n'aimait pas l'enfant de la reine Nef'eter et espérait bien qu'un jour Antaref lui donnerait un fils qu'elle installerait alors sur le trône.

— Menî a les yeux rouges, remarqua-t-elle tout de suite.

— Par Osiris ! tonna le roi, je vais faire couper la langue à qui parle avant moi !

Sinsaéré se mordit les lèvres ; elle jugea plus prudent d'aller s'appuyer contre une colonne couleur de sable, face à Oubiou.

— La cour s'est étonnée de ton absence, commença Antaref comme Menî s'arrêtait devant lui. J'ai dû raconter que tu chassais l'hippopotame ou que tu courais le désert à la recherche du scarabée d'or.

— Ma petite mangouste est morte, risqua Menî dans un filet de voix, une boule dans la gorge.

Antaref soupira.

— Le roi de Basse-Égypte lorgne avec avidité sur nos contrées. Je ne crois guère en la paix : il nous faudra conquérir pour ne point être conquis. Tu es fils de roi, poursuivit-il d'un ton plus dur, appelé à diriger un peuple et à mener une armée au combat. Tu dois donner l'image d'un futur roi, et il ne sied pas à un tel personnage de se présenter avec des larmes dans les yeux. Il faut que tu grandisses, qu'on te coupe ta mèche d'enfant, et qu'en même temps tu perdes ton nom de Menî pour devenir Ménès-Narmer le Victorieux !

Le coude sur le bras de son trône, le menton appuyé sur son poing fermé, Antaref considérait l'adolescent devant lui. Il hocha la tête : Menî savait tout juste tirer à l'arc et, malgré tous les efforts de son maître d'armes, s'avérait incapable de manier la lance. Il montrait encore moins de dispositions envers les objets du culte, et lorsqu'il s'accroupissait devant la grande harpe sacrée, c'était pour en tirer des sons affreux.

« Je ne voulais pas de second fils, songeait le roi, car deux héritiers risquent de se disputer la couronne, mais si Menî ne s'intéresse qu'aux mangoustes... »

Il pensa à sa favorite, Sinsaéré, à son caractère vif et bien trempé : d'elle peut-être il saurait faire naître un meneur d'hommes. Il lui suffisait de l'élever au rang de concubine. Il releva la tête, vit que son fils l'observait. Il allait le congédier quand il se ravisa.

— Écoute-moi, lui dit-il, je vais te parler non comme un père à son enfant, mais comme un souverain à son successeur. Puisque ni le maître d'armes ni les prêtres n'ont réussi à t'inculquer leur art, tu vas quitter Nekhen et te former au contact du pays et des dieux.

Menî avala sa salive. Il se sentit broyé de l'intérieur, comme si une main lui pétrissait le cœur et lui nouait les intestins, mais il s'efforça de ne rien laisser paraître. Antaref surprit tout de même le léger balancement d'un pied sur l'autre qui traduisait le profond effarement de son fils.

Menî inspira une grande goulée d'air.

— Je... je serai seul ?

— Oui.

— Qu'aurai-je à faire ? Jusqu'où devrai-je aller ?

— Forge-toi à l'eau du Nil, au sable du désert, au roc des montagnes ! Apprends à discerner la volonté des dieux à travers le chant des cascades, le vent jaune du couchant, ou l'ocre des falaises dressées en pays nubien. Pour être sûr que le fils qui me reviendra alors sera devenu un homme, je veux que tu me rapportes une preuve de tes exploits. Trois exploits ! appuya t il en ouvrant trois doigts de sa main droite. Trois exploits sanctionnés par les dieux !

— Quand dois-je partir ?

— Le plus tôt sera le mieux. Je dirai que tu es allé chasser le lion d'or ou capturer l'autruche aux plumes d'azur.

Menî se retira à reculons. Ce n'est qu'en sortant de la salle qu'il se rendit compte que son cœur battait plus vite et plus fort qu'un tambour.

Oubiou s'était éclipsé. Quant à Sinsaéré, elle se détacha de son pilier dès que le roi fut seul et marcha vers lui avec un sourire rayonnant, certaine que Menî ne reviendrait jamais.

Chapitre 2

LE VOL DE L'HIRONDELLE

Natsi le boulanger se frottait les mains : il venait enfin de recevoir ses nigelles[1] et ses huiles parfumées.

— Allez ! Allez ! s'écria-t-il en tapant dans ses mains. Si vous vous endormez, la pâte ne sera jamais prête.

Debout dans des jarres plates posées sur le sol, ses apprentis pétrissaient la pâte avec leurs pieds. Lorsqu'il jugea le malaxage suffisant, Natsi commença la confection des pains et des gâteaux. Il découpa la pâte, la roula, la saupoudra de grains de cumin ou de nigelle. Il donna à ses pâtisseries des formes d'animaux ; à certaines il incorpora de l'huile parfumée, à d'autres des fruits ou du miel, d'autres encore furent truffées de confiture de

1. Plante herbacée dont les graines étaient utilisées comme condiment.

figues cuites. Puis il les déposa sur de vastes plaques directement placées sur le feu et se mit à surveiller la cuisson.

La pâte levait, gonflait, se boursouflait, animée d'une vie intérieure que la flamme éveillait. Les gâteaux doraient, devenaient soleils. Natsi les regardait naître avec amour, les tournant et les retournant à l'aide de baguettes de bois. Il était particulièrement fier d'une pâtisserie en forme d'oiseau avec ses ailes ouvertes, et dont le cœur était fait d'une datte confite, elle-même renfermant une poche de miel.

Il s'activa ensuite à disposer ses miches et ses gâteaux sur des nattes de roseaux qu'il installa dans la ruelle, devant sa cour. Il prit un soin infini à agencer son petit chef-d'œuvre au milieu de ses pâtisseries.

— Emplis-toi de son odeur, dit-il au garçon chargé de la vente : il sent le parfum de la terre et du soleil. On le croirait fait d'ambre, de miel ou d'or fondu. C'est un mets pour les dieux ; la pensée même de le manger, de l'émietter à coups de dents relève du sacrilège. Pousse-toi, pousse-toi, reprit Natsi en secouant son apprenti par l'épaule pour s'asseoir à sa place, je veux m'occuper moi-même de cette merveille et me réjouir du regard de convoitise que chacun lui jettera. Ce n'est pas le client qui choisira, c'est moi qui choisirai le client. Il te faut un maître bien né, ajouta-t-il en se penchant vers l'onctueuse et divine pâtisserie, je ne t'échangerai pas contre n'importe quoi.

Il eut à peine le temps d'entrevoir la main chapardeuse, hoqueta un « Oh ! » inutile, fit un geste... mais c'était déjà trop tard !

La merveille s'envolait.

— Au... au voleur ! lâcha-t-il, trop éberlué encore pour crier franchement.

Puis, se reprenant, il brailla de toutes ses forces :

— Au voleur ! Mon gâteau ! Mon bijou ! Mon soleil ! On m'a volé la perle de mes yeux !

Il manqua piétiner ses autres pâtisseries dans sa hâte de poursuivre le voleur.

— C'est cette fille, là-bas, qui se sauve avec mon oiseau ! Trois miches à qui me le rapportera !

Des têtes se dressèrent, des cris furent lancés. Et puis la chasse !

Thouyi courait à perdre haleine. D'une main, elle retenait sa tunique retroussée jusqu'aux cuisses, de l'autre elle serrait sa brioche. La merveille n'avait plus rien de divin : dévorée en pleine course, elle n'était plus qu'un corps ventru et un moignon d'aile. La rue s'élevait en clameur.

— Arrêtez-la ! hurlait-on aux gens assis devant leur maison et qui façonnaient des pots d'argile sur leur tour ou filaient la laine sur leurs fuseaux. Arrêtez-la, c'est une voleuse !

Les gens se retournèrent sur cette fille qui courait dans la rue, zigzaguant, rasant les murs ou sautant par-dessus les objets exposés sur des nattes.

— C'est toujours la même oiselette ! brailla quelqu'un. Fille de voleur, fripouille dès qu'elle a su marcher ! Je n'en connais pas un qu'elle n'ait allégé d'un œuf, d'un chou, d'une caille... Il est temps d'en finir avec elle !

Elle renversa un panier de figues, sema la panique parmi les canards et les bécassines que l'on vendait attachés par la patte. Exhortés par les cris de Natsi qui promettait le pain, le vin, la lune à qui rattraperait la voleuse, des artisans lâchaient leur marteau, leur ciseau à bois, des enfants abandonnaient leurs cruches d'eau remontées du Nil pour s'élancer aux trousses de Thouyi. Une main la frôla, une autre agrippa un bout de son vêtement, mais elle réussit à se dégager d'un coup de genou.

— Emparez-vous de cette hirondelle ! clamait la foule avec colère. Natsi offre le pain pendant trente jours à qui l'attrapera !

Thouyi avala sa dernière bouchée : simple gâteau ou oiseau de paradis, la brioche avait apaisé les crampes que la faim creusait dans son ventre. Elle fendit un petit troupeau de chèvres qu'une femme menait au marché, puis elle les excita de la voix, jetant des « Ahi ! Ahi ! Ahi ! » afin d'affoler les bêtes et de ralentir ses poursuivants. Les chèvres se bousculèrent, bloquèrent la rue, et Thouyi en profita pour se sauver vers le Nil tout proche.

Des paysans travaillaient dans les champs, moissonnant à la faucille, transportant des paniers de céréales vers l'aire de dépiquage où un garçon, armé d'une trique, faisait tourner ses vaches. Les bêtes piétinaient consciencieusement les gerbes pour séparer les grains des épis. Tout près de là, des femmes secouaient les grains roux dans des vans d'osier, les jetaient dans les coulées de vent, enfumées sous un essaim de balles de blé. Thouyi arriva en trombe au milieu d'elles, attira l'attention de gardes qui surveillaient le paiement de l'impôt royal. Ils ne s'alarmèrent que lorsque la jeune fille pataugea dans la tranchée d'irrigation, au grand dam d'un paysan occupé à aplanir le sol au moyen d'une large houe de bois.

— Hé ! là-bas ! s'écria le chef, accompagnant l'appel d'un geste du bras.

Thouyi ne tourna même pas la tête. Elle continua d'avancer dans le fossé rempli d'eau jusqu'à un chadouf[1] actionné par un vieillard qui se broyait le dos à puiser l'eau du Nil. Seuls deux hommes et plusieurs gamins harcelaient encore la fugitive. Ils apparurent entre les maisons, soufflant tels des hippopotames. Ils s'arrêtèrent un bref instant, la

1. Puits à balancier.

cherchèrent des yeux, relancèrent la chasse sitôt qu'ils l'aperçurent devant les roseaux. La scène intrigua les gardes. Deux d'entre eux se joignirent aux poursuivants. Thouyi s'affola. Cette fois, si on la capturait, elle n'échapperait pas aux coups de bâton. Peut-être même lui couperait-on le nez ou les mains... c'était le sort réservé aux voleurs. Elle entra dans le fleuve, se faufila parmi les papyrus.

Mais les roseaux claquaient, bruissaient, hochaient leurs têtes touffues, soulignant chaque mouvement de Thouyi.

— Elle est là !... Elle est là ! s'égosillait-on sur la rive, pointant le doigt pour indiquer son avancée.

Lorsqu'elle vit les gardes s'engager dans l'eau et frapper autour d'eux avec leurs longues palmes, elle se risqua plus loin dans le fleuve, ne laissant dépasser que sa tête. L'écran de végétation était tel que les crieurs ne pouvaient plus la distinguer depuis la berge, mais si les deux gardes franchissaient la barrière de roseaux...

« Ils arrivent... Ils sont là. » Elle inspira un grand coup, plongea comme les roseaux s'ouvraient. L'eau était trouble, presque rougeâtre, embrumée de limon en suspension. Elle toucha le fond, provoqua un nuage de boue, dérangea un bébé crocodile qui jouait dans la vase. L'animal se sauva en tortillant de la queue mais, la curiosité l'emportant, il revint taquiner Thouyi. La jeune fille le repoussa, les joues gonflées. Il insista, voulut s'insinuer sous son vêtement. Elle le saisit sous le ventre, lui souffla des bulles d'air sur le museau pour l'effrayer. C'est alors qu'une grande ombre surgit. La tête bourdonnante, le cœur au bord de l'éclatement, Thouyi attendait que la masse s'éloigne, mais elle s'était immobilisée au-dessus d'elle.

« Je n'en peux plus... Je n'en p... » Thouyi renversa sa tête en arrière, écarta les bras, se vida de tout son air et se laissa remonter. La forme grandit rapidement. « Fini... C'est fini... », eut-elle le temps de penser.

Chapitre 3

L'OISELLE ET LE LIONCEAU

Intrigué, Menî venait d'arrêter sa bachole[1] et observait deux hommes qui, dans le Nil jusqu'à la taille, fouaillaient les roseaux cependant que d'autres piaillaient sur la berge. Il allait les appeler pour demander ce qui se passait, quand...

— Ouf ! expira une voix surgie de l'eau, tu n'es pas Maman crocodile.

— Que... ?

Il se retourna, aperçut deux mains cramponnées au plat-bord.

— Nooonnn, bredouilla-t-il, ahuri, je suis le fils du roi...

Il se pencha, découvrit une jeune fille qui lui souriait de toutes ses dents.

— Tu viens de trouver ta princesse. Mais redresse-toi et continue de ramer.

1. Barque en roseaux tressés.

— Qui es-tu ? Qu'est-ce que tu... ?

— Rame, je te dis, rame ! Sinon je fais chavirer la barque et je t'enfonce la tête sous l'eau jusqu'à ce que tu sois devenu poisson.

Menî n'insista pas. Il plongea sa rame dans l'eau, éloigna son embarcation du rivage.

— Qui es-tu ? reprit-il. C'est toi que ces gardes recherchent ?

Elle ne répondit pas.

— Dis-moi au moins ton nom que je sache qui je traîne comme un vulgaire filet.

— Thouyi ! Thouyi l'hirondelle !... Va plus vite ! Maman crocodile doit rôder par là.

Menî s'activa. Non pour la soustraire à un quelconque danger, mais parce qu'il avait hâte d'être débarrassé d'elle. Un grand « splash ! » contre la rive leur fit tourner la tête à tous deux, mais ce n'était qu'un hippopotame qui s'ébrouait. Lorsqu'ils furent hors de vue, Thouyi demanda à Menî de l'aider à se hisser dans la barque.

— Comment ? s'étonna-t-il. Tu ne repars pas à la nage ?

Elle lui attrapa la main, menaça de l'entraîner dans le fleuve avec elle s'il ne la tirait pas.

Il s'exécuta de mauvaise grâce, extirpa l'« hirondelle » de l'eau, la regarda s'asseoir au milieu de ses instruments, puis tordre le bas de sa tunique pour en presser l'eau.

— Tu vas à la chasse ? s'enquit-elle en soupesant son arc. À moins que tu n'en reviennes, n'ayant fléché que le vent.

Elle éclata d'un grand rire. Un bon rire franc à dilater le cœur. Menî le ressentit tel un coup de couteau. Qui était cette oiselle, ce poissonneau vomi du fond du Nil ?

— Je vais te déposer à terre, décréta-t-il en dirigeant la proue vers la berge.

— Je ne crois pas.

La phrase était douce, souple, mais Menî y perçut un éclat lisse comme un reflet de métal. Il se tourna, vit qu'elle avait encoché une flèche et le visait par jeu. Il croisa son regard qui avait la dureté du mica. Instinctivement, il passa sa rame de l'autre côté, appuya sur l'eau, ramena l'embarcation au milieu du fleuve. Comme il se taisait, elle l'agaça du pied, lui tirant des tressaillements de hanche, des haussements d'épaules, des grognements boudeurs.

— Qui dois-je remercier ? demanda-t-elle enfin en mordant dans un fruit, épuisant les réserves de l'adolescent.

— Menî, lâcha-t-il du bout des lèvres.

Il jugea l'instant opportun pour faire comprendre à cette péronnelle qui il était.

— Mon vrai nom est Ménès, reprit-il sur un ton plus ferme, mais on m'a toujours appelé Menî. Mon père voudrait que je lui succède sous le nom de

Ménès-Narmer le Victorieux, acheva-t-il en se gonflant d'importance.

— Trois noms pour ta petite tête, c'est lourd à porter, non ?... Tu dis que ton père...

— Est roi ! claqua Menî avec un méchant sourire.

Il crut qu'il l'avait mouchée, qu'elle allait se traîner à ses pieds pour quémander son indulgence, son pardon, sa grâce... Il tendit l'oreille, l'entendit se sucer les doigts. Consciencieusement. Passant de l'un à l'autre avec une application minutieuse, un soin attentif et délicat, n'oubliant ni l'ongle ni la paume où le jus du fruit avait coulé. Menî eut un hoquet de stupéfaction.

— Tu ne me crois pas ? couina-t-il d'une voix grimpée au fausset.

— Tu es peut-être le fils du douzième cousin du dernier courtisan, admit-elle. Ta mèche et tes mains ne sont pas celles du peuple, mais de là à te hausser ne serait-ce qu'au rang de fils de chef des cuisines...

Menî soupira de dépit.

— Et toi, qui es-tu ?

— Je te l'ai dit : une hirondelle.

— Une hirondelle, une hirondelle... La déesse Isis s'est aussi transformée en hirondelle pour retrouver le corps d'Osiris assassiné par Seth[1]. Pourtant tu es

1. Seth, dieu du Mal, a tué son frère Osiris en l'enfermant dans un cercueil et en jetant le coffre dans le Nil. Isis est la sœur et l'épouse d'Osiris.

loin de lui ressembler. Je veux savoir pourquoi tu t'enfuyais, pourquoi ces gens te poursuivaient jusque dans les roseaux. Parce que c'est toi qu'ils cherchaient, j'en suis sûr.

— En un mot, tu veux savoir qui tu promènes.

— C'est ça, mâchonna-t-il en s'arc-boutant sur sa rame, c'est ça...

Comme elle restait coite plusieurs secondes de suite, il se demanda s'il l'avait vexée, si elle n'allait pas sauter de la bachole. Il poussa un cri lorsqu'elle lui empoigna brusquement les flancs.

— Mais dis donc, c'est un pli de graisse, là ! Et là aussi ! Et là ! Et là ! poursuivit-elle en lui serrant chaque fois un petit bourrelet.

— Arrête ! Arrête ! Tu me fais mal !

Il essaya de se défendre en lançant un coup de rame derrière lui, la manqua, déséquilibra l'embarcation qui se mit à vaciller, à tanguer d'un bord à l'autre.

— Tu n'as jamais eu faim, attaqua Thouyi. Je parle de la vraie faim, pas du petit creux entre deux repas. La faim qui fore son trou dans les boyaux et qui monte comme un serpent, enroulée sur elle-même, qui porte le feu dans la poitrine au point de te faire suffoquer. La faim qui te casse en deux, les poings enfoncés dans le ventre pour bloquer le hurlement de douleur, de rage, de haine qui monte en toi.

Le ton était dur, violent, craché. Elle termina :

— Alors, peau d'oignon, ne viens pas me juger !

— Je... je n'ai rien dit... balbutia Menî.

— J'ai volé, oui, j'ai volé un pain de roi ! Aujourd'hui un prince devra se contenter de tremper son pouce dans la sauce. Je vole depuis que je sais courir, mais malgré ça, en comptant tout ce que j'ai pu dérober durant ces années, je n'ai pas de quoi remplir une table de banquet.

Elle se tut un instant. C'est d'un ton plus doux, presque soufflé, qu'elle reprit :

— Tu as dû en voir des fêtes, tu as dû en goûter des plats, même en n'étant que l'arrière-petit-crapaud d'une danseuse de palais.

Menî se mordit la langue pour ne pas répliquer. Il savait déjà qu'il n'aurait pas raison de cette fille. Il se contenta de hausser les épaules.

— Tu habites forcément quelque part, hasarda-t-il. Où veux-tu que je t'emmène ?

— Où vas-tu, toi ?

— Loin !

Et le mot lui parut lourd, amer, tout englué de sel. Thouyi remarqua :

— Tu remontes le courant. Il y a peu de villages en amont, rien que des hameaux ou des cabanes isolées de pêcheurs qui survivent en se battant contre les crocodiles.

— C'est de là que tu viens ?

La jeune fille ignora la remarque. Elle poursuivit :

— Qu'espères-tu trouver par là-bas ? C'est le pays des Nubiens que l'on dit grands et noirs. Tu en as déjà vus ?

— Dans mon palais, oui. Les femmes servent à table et les hommes sont de bons chasseurs. Mon père les enrôle dans son armée car ils connaissent parfaitement le désert.

— Bien sûr, appuya-t-elle en allongeant les lèvres, bien sûr, et ton roi de père t'envoie seul les recruter. À chacun son secret ! Tu peux être le fils de qui tu veux, je m'en fiche. Tu vas loin, moi aussi. Faisons le chemin ensemble, à deux c'est mieux.

Menî réfléchissait. Il ne savait pas trop où se diriger. Son père avait parlé de s'aguerrir au contact du Nil, du désert, des montagnes, mais lui ne voyait pas comment. Surtout s'il se chargeait de cette fille ! Elle allait dévorer ses réserves, le ralentir, peut-être lui faire manquer l'appel des dieux si elle caquetait sans cesse dans son sillage. Mais pouvait-il l'abandonner à la colère des villageois ? Elle devait s'être taillé une solide réputation de voleuse pour tant craindre d'aborder. Il continua donc de plonger sa rame dans l'eau, tantôt d'un côté, tantôt de l'autre, pour conserver la barque au milieu du grand fleuve.

À un moment, comme il ne l'entendait plus, il se retourna et vit qu'elle s'était endormie, un bras pendant dans l'eau. Redoutant la dangereuse curiosité d'un crocodile, il cessa de pagayer, se leva, prit le bras qui trempait et l'étendit le long du corps. Il resta près d'elle un instant, la main sur son poignet, et songea qu'il lui serait facile de la faire basculer dans les flots. Un simple geste et hop ! Ou encore d'aller la déposer contre la rive, près des gens qui transvasaient l'eau du Nil dans les canaux d'irrigation.

— Reprends ta rame, conseilla la dormeuse d'une voix empâtée, sans ouvrir les yeux. Évite de t'approcher des chadoufs, c'est là que les crocodiles attrapent leur déjeuner.

Menî sourit. Non, tout bien réfléchi, il n'avait pas vraiment eu l'intention de la ramener ni de la jeter par-dessus bord. Tout juste une petite pensée sans conséquence, une miette de malice. Il reprit donc sa place à l'avant de la barque, s'assit sur les talons et recommença à ramer tandis que la jeune fille, allongée derrière lui, le surveillait à travers la fente étroite de ses paupières.

Chapitre 4

À L'OMBRE DES PAPYRUS

Râ[1] poursuivait sa course dans le ciel, terrassant hommes et bêtes sous son éternelle et écrasante chaleur. Menî voulut accoster pour se reposer à l'ombre des palmiers, mais Thouyi refusa, préférant garder le plus de distance possible entre elle et les hameaux. Exaspéré, l'adolescent jeta sa rame dans le Nil. La jeune fille bondit.

— Que fais-tu ? Tu es fou ?

— J'en ai assez de tes histoires ! C'est moi le maître de cette barque ! Toi tu es venue t'y incruster comme... comme...

La colère l'empêchait de trouver ses mots. Il croisa les bras et, la mine renfrognée, regarda sa rame filer dans le courant. Thouyi attrapa la perche que Menî avait pris soin d'emporter, l'enfonça dans

1. Le dieu Soleil.

l'eau, appuya de toutes ses forces pour éviter à l'embarcation de partir à la dérive.

— Aide-moi ! s'écria-t-elle, aide-moi !

— Comment ? Je n'ai qu'une perche.

Elle la lui fourra dans les mains. Il regarda alors Thouyi d'un air narquois, savourant l'instant qui lui rendait sa place de chef. Il se leva lentement...

— Vite, vite !

... prit le temps de soupeser sa gaffe avant de la plonger dans le fleuve. En deux coups, il ramena l'embarcation dans l'axe.

— Il fait trop chaud pour continuer, dit-il. Je veux bien éviter les villages, mais je propose de nous glisser à l'ombre de ces papyrus.

Thouyi accepta de mauvaise grâce. La bachole se faufila dans d'épais roseaux, dérangea des poules d'eau et des vanneaux huppés, puis elle s'immobilisa à l'abri des regards, bien dissimulée derrière les papyrus. Ils mangèrent une bouillie de lentilles que Menî avait emportée dans un pot, et des fruits, lui délicatement, du bout des doigts, elle en s'empiffrant, se barbouillant le tour des lèvres. Lorsqu'elle vit qu'il l'observait d'un air dégoûté, elle s'essuya la bouche sur son avant-bras. Puis, croisant à nouveau son regard, elle eut un haussement d'épaules et se mit à fixer ses pieds. Ils restèrent un moment ainsi, silencieux, s'étudiant à la dérobée.

Menî la trouvait grande, bien faite, quoiqu'un peu maigre. Son visage était volontaire et sa voix un brin rocailleuse quand elle lançait des ordres. Elle avait les yeux sombres et, au fond des prunelles, un éclat d'ambre tel qu'en jettent les lacs sous les rayons de Râ. Ses cheveux étaient longs et noirs, parsemés de reflets bleutés, très différents de ces perruques poudrées et couronnées de fleurs qui donnaient aux visages de la cour de son père un aspect plus charnu. « Pourquoi a-t-il fallu que cette aigrette s'accroche à moi ? Comment me débarrasser d'elle ? Elle mange comme quatre et... »

« Un peu de course lui ferait fondre son gras, » pensait Thouyi. Elle l'imaginait mou, mais non pas indolent. De cette mollesse physique qui rend morose et capricieux car elle fait désirer plus qu'elle ne peut apporter. Elle reconnut pourtant qu'il avait le regard candide et quelque peu craintif de l'oiseau qui quitte son nid pour la première fois. À sa place, elle aurait jeté l'impudent dans le fleuve, sans se soucier qu'il sût nager ou non. Elle ne put s'empêcher de s'esclaffer :

— Ha ! Ha ! Ha ! Tu fais un piètre fils de roi !

Menî sursauta, examina son pagne, croyant avoir fait tomber quelque chose dessus : des lentilles, des pépins de melon, de la confiture de figues. N'y découvrant rien, il planta ses yeux dans ceux de la fille pour une interrogation muette. Elle pouffa derrière sa main, se mit à fredonner :

— Fils de la vase ou fils du vent,
l'un sera brique et l'autre chant.
Fils de fellah[1] ou fils de roi
l'un sera dos, l'autre bâton...

— Et alors ?

Elle poursuivit :

— Fils de serpent ou de faucon,
l'un s'ra croqué par le second.

À moins, reprit-elle d'une voix normale, à moins que le premier ne morde le second.

— Ce qui veut dire ? demanda Menî en fronçant les sourcils.

— Que la terre est trop dure, le soleil trop brûlant, les corvées bien pénibles et l'impôt fort pesant. En un mot, que les chansons de rues rêvent de retourner le bâton.

Ils se turent, se défiant du regard.

— Pourquoi restes-tu avec moi ? dit Menî.

— Par curiosité. J'ai envie de savoir ce qu'un rejeton des couloirs du palais est venu faire au milieu des pêcheurs.

Elle avisa les instruments rangés dans la barque.

— Qu'est-ce que tu comptes tuer avec cet arc et ces flèches ? Ce n'est guère facile à manipuler : il

1. Paysan.

faut tenir compte du vent, du mouvement de la bête.

— Mon père ne manque jamais sa cible, répondit Menî en se gonflant d'orgueil. Nul mieux que lui n'atteint l'oryx en pleine course.

— Ce n'est pas un gibier ordinaire, ricana Thouyi. Ici, tu devras te contenter de bécasses et de hérons. Quant à réussir à les flécher...

Elle extirpa une fronde de sous sa tunique, qu'elle tenait attachée à sa jambe, et la fit vrombir dans sa main.

— Voilà mon arme, déclara-t-elle. Elle n'abîme ni la plume ni la chair.

— Et tu chasses avec ça ? s'étonna Menî en la prenant et la retournant entre ses doigts. Comment viser avec un tel engin ?

— J'ai quelques talents de magicienne – tout comme Isis, appuya-t-elle en lui décochant un clin d'œil.

— Ma mère aussi a des dons : rien qu'en posant sa main sur ma tête, elle me calme, apaise mes pleurs, chasse la fièvre ou m'endort.

Thouyi ignora sa repartie. Elle poursuivit :

— Quand je lance ma pierre, elle émet un son tel que les canards relèvent la tête pour écouter. C'est alors qu'elle les frappe.

— Mon père, lui, chasse le gibier d'eau avec un simple bâton en forme de serpent. Il pousse sa barque dans les roseaux pour effrayer les oiseaux et, dès qu'ils s'envolent, jette son bâton en l'air et leur brise le cou. Cela demande beaucoup d'adresse, de la force et un bon mouvement du poignet. Mon père fait tout mieux que les autres. C'est normal puisqu'il est le roi. Et toi, tes parents ?

La jeune fille planta ses yeux dans ceux de Menî. Elle claqua :

— Ça t'arrive de faire quelque chose seul ? Moi, tout le temps !

Elle se leva, empoigna la perche, entreprit d'extraire la barque des roseaux... Ils croisèrent plusieurs hommes qui pêchaient au filet, et qui ne leur accordèrent nulle attention. Ils continuèrent à remonter le Nil jusqu'à un affluent[1] dévalé des montagnes du Levant.

— Le soir tombe, remarqua Menî en observant la lueur sauvage du ciel. Il y a un hameau là-bas, nous sommes suffisamment éloignés de Nekhen pour pouvoir aborder sans risques pour toi.

Comme elle allait protester, il ajouta :

— C'est trop dangereux de rester la nuit sur le fleuve. Allons demander l'hospitalité à ces gens, mais je t'en conjure, ne laisse pas traîner tes mains à portée de leurs objets.

1. Aujourd'hui le Wadi al-Miyah.

— S'ils t'interrogent, soutiendras-tu toujours que tu es le fils du roi ?

Menî riposta d'un ton moqueur :

— Voudrais-tu que je prétende être ton frère ?

— Trouve le plus adéquat. Que penser d'un jeune chien au milieu des sarcelles ?

Debout à la proue de sa bachole, Menî la dirigeait vers la rive. Une dernière traction sur la perche les amena contre la berge, à l'endroit où l'on prélevait la boue pour fabriquer les briques. Comme il se penchait pour attraper un piquet d'amarrage, Thouyi le poussa brutalement. Il s'affala dans l'eau, soulevant une vague qui fit danser les nénuphars. Il se releva, crotté des chevilles jusqu'aux oreilles, bredouillant de colère.

— Te voilà né du limon, déclara Thouyi pour bloquer la fureur au fond de sa gorge. Bienvenue chez les pêcheurs, mon frère !

Menî lui décocha un regard noir, mais il serra les lèvres, monta sur la berge avec une démarche de canard, au milieu des éclats de rire des enfants, accourus au bruit de sa chute.

Chapitre 5

LES MÂCHOIRES DU NIL

L'aube hésitait, encore timide sous la nuit-panthère. Râ se haussa un peu plus au-dessus de l'horizon, puis la lumière glissa d'un coup des sommets vers la vallée. Thouyi s'éveilla la première. Elle fut tentée de fouiller dans le panier de Menî, mais se dit qu'il était plus sage de partager le repas avec les gens qui leur avaient permis de dormir dans l'appentis où ils rangeaient les chaumes : il valait mieux, en effet, conserver les réserves pour le voyage. Elle secoua Menî par l'épaule.

— Je me sens tout brisé, marmonna-t-il. J'ai mal partout : dans le dos, dans les jambes, dans les...

— Allez ! s'écria Thouyi, tu retrouveras tes forces une fois levé.

La mère de famille cuisait des racines et des tiges de joncs sous la cendre. Les enfants dormaient encore, et le père, accroupi devant le four, vérifiait les mailles de son épuisette. Il accueillit les deux adolescents par un claquement de langue, leur fit signe de s'asseoir sur les talons. Mal à l'aise, Menî ne savait que faire de ses mains et les gardait à plat sur ses cuisses. Thouyi parlait pour deux, volubile et légère, presque aérienne dans ses gestes, mais lui sentait peser le regard de ses hôtes. À la façon dont ils l'étudiaient, par des coups d'œil en biais, ni la femme ni son époux n'avaient cru un instant qu'ils étaient frère et sœur – la boue n'avait pas suffi à les rapprocher. Mais ils ne demandaient rien, se contentant d'écouter cette fille qui remplissait l'aurore de ses pépiements. Le bonhomme hocha la tête d'un air entendu quand Thouyi proposa de les aider à pêcher afin de les remercier. Après qu'ils se furent brûlé les doigts et la langue en mangeant leur maigre pitance, ils sortirent et retrouvèrent d'autres pêcheurs qui poussaient déjà les embarcations sur les eaux. Le Nil ressemblait à un lac de mercure, et le sable luisait comme du métal fourbi. Thouyi et Menî s'armèrent d'une grande épuisette et d'une massue.

— Surveillez les oiseaux, leur recommanda-t-on alors qu'ils montaient dans leur barque. Appliquez-vous à naviguer là où ils perchent, là où les canards et les aigrettes pataugent sans crainte.

— Qu'est-ce qu'ils racontent ? grogna Menî que la perspective de pêcher n'enchantait guère[1]. Pourquoi surveiller les oiseaux si c'est le poisson qu'on pêche ?

— Dès qu'ils s'envolent par masses, fuyez, retournez sur le bord.

— Pourquoi ? lança Menî.

Mais certains, déjà, s'éloignaient sur le fleuve. Plusieurs embarcations se suivaient à la queue-leu-leu, transportant un immense filet. Des pêcheurs laissaient traîner les lignes au fil de l'eau, d'autres ratissaient le fond avec des épuisettes.

— Qu'est-ce qu'il a voulu dire ? Et pourquoi emportent-ils ces gaffes terminées par des crochets de fer ?

Thouyi haussa les épaules.

— Je ne sais pas. Ils doivent craindre Apopis[2]. À tout hasard, jette une galette et des dattes dans le Nil : cela suffira peut-être à apaiser le dieu.

Menî s'exécuta, puis il mania sa perche et se laissa glisser le long du fleuve dans les bosquets de papyrus. Des jeunes filles marchaient dans les eaux peu profondes de la rive, cueillant les lotus blancs

1. Les princes et les rois considéraient la consommation du poisson comme une abomination.

2. Dieu du Chaos qui se cache dans le Nil sous la forme d'un serpent gigantesque, et qui menace sans cesse d'arrêter le soleil dans sa course.

et bleus qui poussaient entre les grands nénuphars. Elles iraient les troquer au marché contre des plaques de sel ou du bois à brûler. Quelques femmes sortaient des maisons en portant sur la tête des cruches ou de gros paquets de linge. À croupetons dans la barque, Thouyi surveillait sa ligne, prête à tirer si le poisson mordait. Menî, lui, passait et repassait son épuisette dans l'eau, la relevait d'un coup, mais il n'attrapait que des plantes ou du menu fretin qui retombait à travers les mailles.

— Pfff ! maugréa-t-il en se redressant, se massant le bas du dos.

Il prétexta observer les oiseaux pour suivre la manœuvre des pêcheurs qui, arrêtés en demi-cercle au milieu du fleuve, posaient le filet lesté de pierres au fond de l'eau.

— J'en ai un, j'en ai un ! s'exclama Thouyi.

Elle saisit sa massue, frappa dans l'eau pour assommer sa prise puis la jeta dans la bachole. Menî lui accorda un sourire dégoûté, reporta son attention sur un oiseau gris qui, curieusement, avançait sur l'eau sans nager.

« Il est debout sur quelque chose », se dit-il, remarquant une onde souple devant lui qui étirait des rides de chaque côté.

Une aigrette s'envola, puis un groupe de hérons et d'ibis qui montèrent en V dans le ciel, une flopée de grues, et enfin toute la gent ailée, dans un tonnerre de battements d'ailes. Oies, canards, sarcelles, pélicans, bécassines, outardes s'enfuirent dans toutes les directions, se heurtant même en plein vol. Pendant un moment, ce ne fut plus qu'une grande panique de plumes, un souffle de terreur, un tumulte de piaillements. Les roseaux se vidèrent. Ne voletaient au ras de l'eau que les oiseaux gris. Les oiseaux des crocodiles ! C'est alors que le flot se souleva ! Le Nil rua, se cabra, claqua de la gueule et de la queue. Les pêcheurs lâchèrent leur filet, empoignèrent des harpons, des crochets de fer et se mirent à fouailler autour d'eux, frappant sur les reptiles qui attaquaient. Les barques sautaient en l'air, l'une d'elle se dressa à la verticale et fut happée d'un coup. Les femmes s'affolaient sur la berge, rappelaient les hommes, hurlaient comme des folles quand une mâchoire broyait une bachole et projetait ses occupants dans l'eau. Deux énormes crocodiles empêtrés dans le filet se tordaient en tous sens pour le rompre. Ils fouettaient l'eau à grands coups de queue, poussaient des sons rauques, roulaient sur eux-mêmes, s'entortillant davantage.

Menî avait bien du mal à empêcher sa barque de verser. Des bouillonnements, des crieries s'élevaient de toutes parts. Des gerbes d'eau explosaient à la surface, crachées du fond, des paquets d'écume venaient claquer contre le rivage. Les pêcheurs se ruaient vers la terre ferme, poursuivis par des gueules énormes, soulevant des éclaboussures qui ajoutaient à l'effroi. L'eau était crocodile. Les roseaux étaient crocodiles. L'air entier était crocodile. Et le Nil écoulait son long corps écailleux vers l'aval, mangeant les berges... Le fleuve dansa encore un moment, secoué par la violence des combats, puis le flot se calma. Thouyi était livide, Menî tremblait sur ses jambes, et la gaffe qu'il tenait dans ses mains lui sembla aussi lourde qu'un bloc de granite. Elle lui échappa sans qu'il eût conscience d'avoir desserré ses doigts. Des lambeaux de barques flottaient dans une eau noire... Menî se laissa tomber assis, les épaules affaissées, les bras pendant entre les jambes. Thouyi se pencha, plongea ses mains dans l'eau pour s'asperger le visage. Un sixième sens lui fit relever la tête. Quelque chose comme une déchirure dans un temps arrêté... Derrière Menî luisaient deux yeux jaunes, au ras des flots, la prunelle fendue en amande. Elle devina, plus qu'elle ne les vit, les deux fins jets d'eau soufflés par les nasaux et qui s'approchaient d'elle. Le reptile la toisa avec un sifflement agressif.

— Att... !

D'un coup, tête et épaules hérissées, les mâchoires largement écartées, le crocodile se précipita sur l'embarcation. Thouyi se jeta sur son compagnon, l'entraîna avec elle dans sa chute. Tchak ! Tchak ! Tchak ! En trois coups de dents, le crocodile avait croqué la barque. Ondulant de la queue, il s'éloigna, satisfait, escorté par son escouade d'oiseaux gris... Les têtes des adolescents émergèrent de sous les nénuphars.

— Tu... tu m'as sauvé, bégaya Menî, encore sous le choc.

— Allons donc, souffla la jeune fille, je nous ai sauvés tous les deux.

— Un autre ! Il y en a un autre ! s'égosilla quelqu'un dans leur dos.

Ils sortirent d'un bond, accrochés aux mains qui s'étaient spontanément tendues. Un crocodile apparut sous la surface. Il glissa lentement, pareil à un tronc d'arbre, puis, d'un mouvement de la queue, fit volte face et disparut dans les osiers.

— Il est là, quelque part. Il attend, il nous guette.

Des hommes lancèrent des cailloux dans l'eau pour déloger l'animal, mais il ne bougea pas, tapi au milieu des lotus. D'autres se mirent à tirer le filet ; ils ne ramenèrent qu'un long cordage auquel pendaient des lambeaux de mailles et le lest.

— Il faut prévenir mon... le roi, avertit Menî. Il débarrassera le Nil de ces monstres.

— Oh, soupira un pêcheur, il ne fera rien ! Ce n'est pas la première fois que nous subissons une telle attaque.

— Justement, insista Menî, il établira des soldats sur les berges et...

— Et rien du tout ! coupa une femme. Nous avons déjà envoyé des émissaires auprès du roi : il ne les a pas reçus.

— Pas reçus ? C'est impossible !

— Oubiou, le chef de la Maison royale, les a écoutés d'une oreille distraite puis il les a renvoyés. Nous avons longtemps espéré... et tu vois, personne n'est venu à notre secours : l'armée de Sobek[1] lance toujours ses assauts.

— On raconte que le roi porte davantage son regard vers le Delta, souligna un vieux qui n'avait plus de dents.

— Et qu'il laisse les crocodiles dans le Nil pour se garantir des incursions nubiennes, renchérit un autre.

— Alors, laissa traîner un troisième, les malheurs des pêcheurs...

Et il souligna sa phrase par un geste significatif.

— Nous allons jeter des offrandes dans le fleuve pour apaiser Sobek, déclara le chef du village.

— Mais nous n'avons plus rien, se lamenta une jeune femme qui soutenait son mari blessé. Nous donnons nos volailles, nos fruits, nos chèvres, et rien pourtant n'arrête la fureur des crocodiles. Nous n'allons quand même pas leur sacrifier nos enfants !

— Il faudrait monter jusqu'à la caverne de Sobek afin d'obtenir sa clémence, suggéra une vieille femme.

1. Le dieu Crocodile.

— Vous savez où il niche ? s'étonna Thouyi.

— Les crocodiles ne viennent pas de l'amont du Nil, mais de son affluent. Le dieu doit résider dans ces montagnes, expliqua le chef en montrant les monts du Levant. Quelque part le long du cours d'eau, ou peut-être à sa source...

Menî sentait qu'il devait agir. C'est d'un ton ferme qu'il annonça :

— J'irai trouver Sobek ! Je lui parlerai, et il cessera d'envoyer ses troupes de crocodiles.

Les visages se tournèrent, les regards tombèrent sur lui. Si l'instant n'avait été aussi grave, tous se seraient moqués de lui. Il y eut un silence, un silence minéral, épais, palpable, à peine agité de vent, puis un enfant pleura.

— Toi ? dit le chef avec la sensation d'avaler un fruit amer.

Quelqu'un lâcha :

— Il ne fera de toi qu'une bouchée, pauvre petite caillette !

Mais il fut le seul. Les autres restaient immobiles, figés tels des blocs de sel.

— Moi, appuya Menî, et je vous promets de réussir !

Chapitre 6

L'EAU QUI FUME

Thouyi faisait claquer sa rage contre les pierres. Pour la dixième fois depuis leur départ du village, elle s'exclama :

— Fou !... Tu es complètement fou !... Aller défier Sobek alors que tu n'as même pas été capable de lancer une flèche contre l'un de ses crocodiles ! Non mais qu'est-ce qui t'a pris ? Tu veux jouer au petit roi mais tu n'es qu'un gringalet, un chiot de courtisane bouffi d'orgueil.

Menî marchait devant elle. Il s'appuyait sur un bâton et remontait l'affluent en longeant la rive. Thouyi avait beau ronchonner, il ne répondait pas. Il força même le pas, l'obligeant à courir et à épuiser sa colère en mots hoquetés. Après tout, il ne lui avait pas demandé de l'accompagner.

« Je suis une gourde, se répétait la jeune fille entre deux éclats de voix. Pourquoi est-ce que je le suis ? Qu'est-ce qui me retient de faire demi-tour et de le laisser se débrouiller ? »

Quelque chose, pourtant, l'en empêchait. La curiosité ? Le goût de l'aventure ? Le désir de connaître Menî, de découvrir d'où sortait ce jeune paon et ce qu'il cherchait loin de la ville ? Tout était confus dans sa tête, pourtant elle ne pouvait imaginer de s'asseoir là et de le regarder partir seul.

— Attends-moi, attends-moi ! lui lança-t-elle. Il est lourd, ce sac de provisions !

Menî s'arrêta, soupira, eut une mimique agacée, mais il était soulagé qu'elle vînt avec lui. D'autant qu'il regrettait déjà le feu de ses paroles et se demandait comment il allait mener à bien sa mission. Il s'était engagé auprès des villageois à rencontrer le dieu, et ils avaient assemblé leurs dernières réserves pour lui offrir des vivres : il ne pouvait pas trahir leur confiance, il devait trouver Sobek.

— Presse-toi ! grogna-t-il.

Lorsqu'elle fut à ses côtés, il ne sut plus trop quoi dire, et ils repartirent, silencieux, chacun dans ses pensées. L'affluent drainait une eau plus bleue, plus transparente que celle du Nil. Il était bordé par de larges bancs de sable sur lesquels des crocodiles se chauffaient, la gueule béante, les crocs luisant au soleil. Une colonie d'oiseaux blancs voletait autour d'eux ; certains se juchaient sur leurs dos, d'autres se risquaient entre les redoutables mâchoires pour picorer entre les dents. Thouyi et Menî s'accroupirent derrière les rochers.

— Il y en a une dizaine, compta la jeune fille. Tu crois qu'ils gardent l'entrée du domaine de Sobek ?

Menî observa autour de lui avant de répondre.

— Je ne vois rien qui ressemble à une caverne. Nous sommes encore trop près des hommes, à mon avis.

— Et s'il logeait sous l'eau ?

— Elle est claire. On distinguerait quelque chose sous la surface. La demeure d'un dieu ne passe pas inaperçue.

Un oiseau lança soudain l'alarme. Les reptiles se jetèrent immédiatement dans la rivière tandis que les hérons et les canards qui furetaient dans la vase se mirent à courir sur l'eau, le cou tendu, battant des ailes à toute vitesse. Ils s'envolèrent en oblique, virèrent dans le ciel, revinrent se percher sur les buissons et les maigres arbustes. Un vieux crocodile gris dandina sur le sable, traînant la queue, puis il s'arrêta, la tête dressée en direction des adolescents. Il émit une toux rauque, sorte de défi à l'intrus qui avait troublé sa sieste.

— Il appelle les autres, chuchota Menî. Il va les diriger sur nous.

Une bête ressortit de l'eau. Puis une deuxième. Une troisième. Elles émergèrent les unes après les autres et se regroupèrent autour du vieux mâle, déchirant l'air d'une série de jappements et de grognements. Un ibis approcha prudemment. Il donna un coup de bec à une queue, les ailes entrouvertes, prêt à la fuite. Puis, s'enhardissant, il grimpa sur le reptile, marcha jusqu'à la tête. L'animal cessa de lamenter[1] : il s'affala sur le ventre, bâilla, découvrant un four énorme. Plusieurs l'imitèrent. Alors, d'un seul tourbillon d'ailes, les oiseaux reprirent possession de leurs crocodiles.

— On peut continuer, murmura Menî, ils sont retournés à leur chauffe.

— Puisse le soleil les transformer en terre cuite !

Ils se faufilèrent dans les rocailles, dépassèrent les bancs de sable, s'enfoncèrent dans la montagne. Le chemin devint raidillon, le raidillon coulée de pierres, et ils furent bientôt contraints d'escalader des blocs.

— Que diras-tu à Sobek... si toutefois il te laisse parler ?

— La promesse, s'il laisse les pêcheurs en paix, de lui fournir à chaque crue les dix meilleures vaches du...

— Peuh ! Il s'empare du triple, vachers compris, à chaque incursion qu'il lance dans les champs.

1. Pousser des cris sourds en parlant du crocodile.

— Je proposerai alors de lui faire bâtir un palais dont les piliers auront deux fois la taille du plus grand des palmiers.

— Hum... un palais pour un dieu... Quelle drôle d'idée ! Il y aura de l'eau aussi dans ce palais ?... Afin qu'il puisse battre de la queue.

— Je pourrais... je ne sais pas... lui offrir un service de musiciens et de danseuses qui l'honoreraient de leurs chants et de leurs grâces tout au long de la journée.

— Bien sûr, soupira Thouyi, bien sûr. Et comment tiendras-tu tes promesses s'il accepte ?

— Je te l'ai dit : je suis le fils d'Antaref.

Thouyi ferma les yeux, hocha la tête d'un air las.

— Et moi la reine des sables, marmonna-t-elle entre ses dents.

Menî tapa dans un caillou qu'il envoya claquer contre un roc. Il s'écria :

— Pourquoi ne me crois-tu pas ? Ai-je une plume dans les oreilles pour que tu me prennes pour un bouffon ? Qu'ai-je qui ne correspond pas à l'idée que tu te fais d'un fils de roi ? Je dois marcher sur l'eau ? Voler au-dessus du sol ? Briller autant que Râ ?

— Te taire, trancha-t-elle. Un fils de roi ne parle pas à une voleuse.

— Hon-hon, fit-il, hon-hon.

Un peu plus tard, ils s'accordèrent une courte pause, avalèrent une bouillie de lentilles puis repartirent.

— On ne voit plus de crocodiles, remarqua Thouyi. Tu es certain qu'on avance dans la bonne direction ?

— On suit la rivière, répondit Menî. Sobek est forcément près de l'eau.

La jeune fille posa soudain sa main sur le bras de son compagnon.

— Écoute, on dirait que la terre bourdonne.

Menî colla son oreille au sol.

— Elle ronfle, elle ronronne des mots que je ne comprends pas. Peut-être que toi, qui te prétends magicienne...

Thouyi s'agenouilla à son tour, attentive.

— Il n'y a pas que la terre, déclara-t-elle en se redressant, l'air entier est en train de vrombir comme... comme s'il s'agissait d'une marée d'oiseaux.

Ils levèrent la tête : seuls quelques rapaces dérivaient dans l'azur, croisant leurs cercles.

— Ça vient aussi de l'eau, remarqua Menî.

Profondément encaissée entre ses versants, la rivière roulait un flot sauvage sur un lit plus accidenté, planté d'écueils, d'ailerons blancs dégringolés des falaises et à demi-noyés sous les jaillissements d'écume.

— Le dieu nous a sentis, s'effraya Thouyi. Il est en colère.

Menî essaya de sourire, mais ses lèvres étaient sèches.

— Mon père m'a raconté que... il toussa, se reprit : le Nil se brise au pays nubien car le sol se soulève d'un coup. L'eau semble alors tomber de la montagne, toute droite, pareille à une toile de lin, et elle fume.

— Elle est brûlante ?

— Non. Mais là où elle s'écrase, elle cesse d'être de l'eau pour devenir de la fumée. D'immenses colonnes de fumée qui s'élèvent avec un bruit de tonnerre.

— De la fumée qui s'élève avec un bruit de tonnerre, répéta Thouyi...

Elle donna l'impression de mâchouiller sa pensée et lâcha :

— Ton père s'est moqué de toi : une telle chose n'existe pas. Il avait dû oublier de mêler de l'eau à son vin. À moins qu'il n'ait voulu te faire prendre une caille pour une autruche. Menî ignora le coup de griffe. Il demanda :

— Tu ne crois pas aux prodiges ?

— Le seul prodige que j'ai vu, je l'ai mangé hier matin.

— Je trouve ce sac de provisions moins gonflé qu'au départ, rétorqua Menî en tâtant la besace qu'elle portait sur l'épaule. Il diminue tout seul derrière mon dos. C'est un prodige aussi ?

Thouyi pinça les lèvres et força le pas. Quelle ne fut pas sa surprise, pourtant, de découvrir bientôt une masse de vapeur d'eau qui, surgie du sol, s'évaporait dans l'air, alors que le grondement allait en s'amplifiant.

— C'est Sobek qui ronfle sous la terre, annonça-t-elle d'une voix peu rassurée. Si nous le réveillons, il nous transformera en bouillie de...

— C'est notre chance, rectifia Menî. S'il dort, il ne nous empêchera pas d'approcher.

Ils continuèrent, les oreilles battues par le vacarme épouvantable. Le bruit était tel qu'ils devaient crier pour communiquer. La montagne se redressa brutalement, obligeant les jeunes gens à emprunter une corniche qui surplombait la rivière. Thouyi frissonna en risquant un coup d'œil sous elle, dans la ravine où bouillonnait une mousse d'eau. Ils arrivèrent enfin devant une formidable cascade : l'eau paraissait tomber du ciel, se précipitant dans le vide sous la forme d'un gigantesque panache.

— Ce n'est pas de la fumée, c'est de l'eau, observa Thouyi.

— On dirait qu'elle remonte vers le soleil. Les rayons y éclatent en milliers de perles dorées.

Trempés par les embruns, ils suivirent la corniche, mais ils s'arrêtèrent lorsqu'ils se rendirent compte qu'elle menait derrière la chute. Ils se regardèrent, chacun cherchant dans les yeux de l'autre la détermination qui lui manquait, mais n'y lisait qu'un profond désarroi, une terreur sacrée.

— C'est toi le roi, souffla Thouyi.

Elle avait su trouver le mot juste. Piqué au vif, Menî osa un pas, puis un second, un troisième... Ils atteignirent l'immense muraille qui cassait la rivière, la faisait sauter de plus de trois cents pieds avant qu'elle ne retrouve son lit. Et derrière la cataracte, l'obscurité d'une caverne ! L'antre de Sobek !

Chapitre 7

Les larmes de Sobek

Ils n'osaient plus bouger, raidis par la même angoisse. Menî avala sa salive, manqua étouffer tant sa gorge était nouée. Il n'avait qu'une envie, fuir au plus vite, mais il se répétait : « Je dois rester, je dois rester, je dois rester. » Thouyi était aussi pâle que lui, les dents serrées pour éviter qu'elles ne s'entrechoquent.

— C'est... c'est l'eau qui gronde, bredouilla Menî. Ce n'est pas Sobek qui ronfle.

Thouyi eut une mimique pour dire qu'elle n'entendait pas à cause du fracas de la cascade. L'adolescent haussa les épaules : tant pis, il n'avait pas envie de s'égosiller. Ils restèrent là, pantelants, hésitant à pénétrer dans la demeure du dieu. La jeune fille le poussa légèrement dans le dos, il fallait réagir : entrer ou repartir. Menî lui jeta un regard de chien battu, incapable de prendre sa décision. Thouyi était plus résolue :

montrant la grotte, elle lui fit signe de passer le premier.

Ils avançaient lentement, les bras tendus comme s'ils craignaient de se cogner à l'obscurité. Brusquement, après ce qui leur sembla être un coude, ils aperçurent un rond de lumière, comprirent alors que la caverne était en fait une galerie conduisant à... Ils s'immobilisèrent, médusés. La montagne abritait un lac à ciel ouvert, encadré par de puissants sommets aux parois vertigineuses. Ses eaux étaient d'un vert olive, jaspées de fines coulées plus sombres.

— Attention, dit Thouyi en chassant un insecte qui bourdonnait près de sa tête, il y a des abeilles. Elles doivent butiner les fleurs qui bordent le lac. Comme elles sont grosses et noires !

Les insectes dansèrent un moment autour d'eux puis retournèrent à leur ouvrage. Menî et Thouyi s'approchèrent de l'eau.

— Tu crois que... ?

Le lac se fendit en deux, dégorgea une créature de plus de vingt coudées[1], les écailles ruisselantes d'écume.

— So... Sobek !

Le grognement que poussa le dieu ébranla la montagne tout entière. Dressé au milieu des vagues, il fixait les intrus d'un œil hostile.

1. Une coudée fait environ cinquante centimètre.

— Je... je suis le fils du roi, balbutia Menî, comme si cela pouvait le protéger.

— Un fils de roi se croque de la même manière que n'importe quel autre enfant ! tonna Sobek.

Et il plongea sur lui la gueule ouverte.

— Attends ! Attends ! cria Thouyi. Ne veux-tu pas savoir pourquoi nous te cherchons ?

Le dieu retint son geste, balança sa lourde tête en la toisant.

— Soit, parlez !

Rassemblant son courage et ses mots, Menî lui promit ses dix plus belles vaches à chaque crue s'il consentait à retenir ses armées de crocodiles...

— Je hais les vaches, elles ont un goût de lait, d'herbe et de bouse !

... de lui bâtir un palais à la mesure de...

— J'ai la montagne ! Peux-tu dresser des piliers plus haut que ces sommets ?

... de mettre à son service musiciens et danseuses...

— Je déteste le bruit ! Mais si c'est pour les manger...

— De sorte que tu n'as besoin de rien, intervint Thouyi, prévoyant que le crocodile allait fondre sur eux. Mais peux-tu nous expliquer pourquoi tu sens aussi mauvais ?

— Comment ? s'étrangla le divin animal.

— Tu empestes, tu pues, tu cocotes, tu es répugnant. Tu as raison de refuser ces gens auprès de toi, ils ne supporteraient pas longtemps ton odeur de cuir bouilli.

Sobek planta son museau devant Thouyi, souffla deux jets de colère par les naseaux.

— Je vais te broyer lentement, tu entendras craquer tes os les uns après les autres et, quand je t'avalerai, tes yeux verront encore le tréfonds de mon ventre.

Thouyi se détourna de l'haleine fétide. Elle saisit le regard affolé de Menî qui suffoquait devant une telle audace et lui lança un clin d'œil. Elle reprit :

— Si tu nous croques, qui t'apprendra les bonnes manières ? Est-ce que Râ empuante la terre avec ses rayons ? Osiris est paré de blanches bandelettes frottées d'encens, et son épouse Isis se parfume au lotus, au simsim, au selgam, au sagdas...

Sobek grogna :

— J'ai l'eau de mon lac pour me baigner.

Mais le ton était déjà moins dur.

— Allons donc, elle stagne, elle croupit, elle pourrit. Même les oiseaux n'osent plus s'en approcher...

Un silence. Sobek réfléchissait en reniflant ses pattes, son ventre, sa queue. Enfin :

— C'est bon, que proposes-tu ?

— Un marché n'est valable que s'il y a promesse des deux parties.

— Je ne lancerai plus mes crocodiles à l'assaut de vos barques si tu me débarrasses de mon odeur.

— Très bien, dit Thouyi, tu peux me faire confiance.

— Trouve-moi un bel arôme, que les ibis reviennent s'ébattre autour de moi.

— N'aie crainte, je ne vais pas te préparer l'huile de kikki qu'utilisent les femmes du peuple, mais le nectar dans lequel Râ trempe ses rayons.

Elle se tourna vers Menî.

— Viens m'aider à recueillir le miel des abeilles.

— Non, gronda Sobek, celui-là reste ici. Je vais le garder auprès de moi. Ainsi tu n'auras pas la tentation de t'enfuir.

Avant que Menî ait pu réagir, le dieu crocodile l'avait happé par le bras.

— Tu n'as rien à redouter si ton amie s'acquitte parfaitement de sa tâche. Dans le cas contraire...

Il serra légèrement les mâchoires, arrachant à Menî une grimace d'effroi. Thouyi courut vers un massif de fleurs bleues, s'enduisit le visage, le cou, les bras et les mains de leur suc afin de se prémunir des piqûres, puis elle commença à récolter le miel sauvage en plongeant ses doigts dans les alvéoles que les abeilles avaient édifiées sous des pierres, dans les buissons, dans les troncs craquelés et fendus des quelques arbres qui avaient poussé çà et là. Furieuses, les abeilles virevoltaient autour d'elle, cherchant à l'attaquer, mais l'odeur que dégageait la jeune fille était vraiment trop répulsive. Elles se contentèrent donc d'accompagner chacune des allées et venues de Thouyi qui remplissait, poignées après poignées, une fosse dans laquelle Sobek avait l'habitude de se vautrer quand il ne nageait pas dans le lac.

— As-tu bientôt terminé ? s'impatientait le dieu. Ce bras dans ma gueule est une trop forte tentation. Mes mâchoires tremblent et je ne pourrai me retenir bien longtemps.

— Presse-toi, renchérit Menî, il salive, et déjà ses dents m'entaillent la peau.

Thouyi ne répondit pas. Courant d'un endroit à l'autre, elle soufflait, harcelée par les abeilles qui s'entêtaient à lui danser autour. Lorsqu'elle eut épuisé tout le miel des alvéoles, elle saisit quelque chose sous sa tunique, le jeta dans la fosse et se mit à battre le tout avec un bâton. Puis elle appela Sobek. Il vint en tortillant, s'arrêta devant son bain aux couleurs de soleil.

— On dirait de l'or, remarqua-t-il. Et cela sent si bon ! L'air entier en est embaumé.

— À ton tour de tenir ta promesse, dit Thouyi, j'ai tenu la mienne.

Le crocodile étudia la jeune fille du coin de l'œil, puis il desserra lentement son étreinte, encore soupçonneux.

— De quoi as-tu peur ? demanda Menî. Tu l'as vue comme moi remplir cette fosse de miel. Si tu veux, je peux plonger avec toi.

— Non, rauqua le dieu. Nul autre que moi ne se baignera dans ce délicieux sirop. J'en retirerai une suavité éternelle.

Alors, lâchant l'adolescent, il se laissa glisser dans le bain. Mais sitôt qu'il trempa, il cria :

— Hé ! Que se passe-t-il ? Je ne peux plus bouger. Ni ma queue, ni mes pattes, et ma mâchoire est lourde, si lourde...

Sobek se tut, s'immobilisa, se mit soudain à rétrécir... De vingt coudées, il se réduisit à vingt pouces.

— Que... que... bredouillait Menî qui n'arrivait plus à détacher son regard du dieu devenu soudain miniature...

— J'ai ajouté un morceau d'ambre, expliqua Thouyi. Trois tours de main, trois petites paroles magiques, et l'ambre a fait tourner le miel en circ. Ne t'avais-je pas annoncé que je possédais quelques talents de magicienne ?

Menî gardait les yeux fixés sur le crocodile qui s'était mis à pleurer des larmes jaunes.

— Il va rester comme ça ?

— Il va durcir, devenir un morceau d'ambre à son tour. Tu pourras même l'emporter si tu le désires, mais attention à ne pas le laisser tomber : il se casserait en autant d'éclats qu'il y avait de lichées de miel dans son bain.

Menî se pencha, cueillit une larme qui avait pris la consistance d'une grosse perle.

— Ceci me suffira.

Il l'éleva dans le soleil, admira l'astre par transparence.

— Le voilà bien puni pour avoir voulu imiter le puissant Râ. Tout ce qui reste de Sobek est dans cette larme. Je l'apporterai à mon père comme preuve de mon premier exploit. Il m'en faut trois avant de retourner à Nekhen.

Thouyi eut un gloussement de rire.

— Si le dieu t'avait entraîné dans la cire, c'est toi que je tiendrais dans ma main : une babiole de cour pas plus haute que trois figues.

— Qui risquait le plus ? se défendit-il en lui montrant son bras. J'ai encore la marque de ses dents sur ma chair.

Thouyi ramassa le sac, le jeta sur son épaule.

— Où va-t-on à présent ?

Fort d'avoir berné Sobek, Menî se sentait bouillir d'ardeur. C'était une sensation nouvelle, grisante, qui le portait à croire qu'il pourrait s'envoler rien qu'en écartant les bras.

— C'est drôle, dit-il, j'ai l'impression que le ciel est plus haut, l'air plus vif, la montagne plus belle que lorsque je les voyais de ma fenêtre.

— C'est parce que l'épais parfum des jardins t'abrutissait. Les fleurs, comme les oiseaux, ont besoin d'espace. Et que penser de ceux qui tournent sans fin dans la même volière qu'est ton palais !

Que connaissent-ils du sable bleu et du chant du pygargue[1] ?

Lorsqu'ils eurent retrouvé la cascade qui battait le flanc de la montagne, Menî indiqua le pays du Couchant.

— Je veux aller au bord du monde, là où Râ touche la terre avant de s'enfoncer.

— Prends garde à ne pas te brûler les ailes ! Le désert a rôti plus d'un imprudent.

— Sans doute, répliqua-t-il en lui adressant un sourire complice, mais ils ne bénéficiaient pas de tes talents de magicienne.

1. Rapace dont l'appel ressemble à un grand éclat de rire.

Chapitre 8

Les jours de sable

Cela faisait deux jours qu'ils marchaient dans le désert. Un désert bâti de cailloux et de poussière blanche, baigné d'une même lumière crue, violente, sous un glacis d'airain. Çà et là, ils croisaient des carcasses calcinées d'antilopes des sables, dont les lambeaux de peau durcie, tannée par la chaleur, montraient encore la trace des morsures de chacals ou d'hyènes. Quelques vautours dérivaient dans le ciel, très haut, flottant dans le soleil.

— Jusqu'où veux-tu marcher comme ça ?

Thouyi avait les lèvres sèches et craquelées comme une vieille écorce. Elle pressa sa main dessus, croyant que les mots les avaient fait saigner. Menî eut un mouvement de la tête, désignant l'immensité devant eux.

— Je veux voir l'endroit où Râ brûle la terre quand il descend sur elle, et rapporter ses cendres.

— Chaque soir le soleil enflamme le sol au même endroit, mais j'ai l'impression que l'horizon recule au fur et à mesure que nous avançons.

— C'est impossible, décréta Menî, car si tel était le cas, nous sentirions la terre bouger.

— Que feras-tu si tu ne trouves rien ? Tu ne vas pas marcher jusqu'à ta vieillesse ?

— Je ne sais pas ce qui est le plus pénible : le poids écrasant de ce désert ou celui de tes incessantes jérémiades.

Thouyi haussa les épaules, le suivit vers un bouquet d'acacias dont les fleurs jaunes ressemblaient à des essaims. Ils se laissèrent tomber à l'ombre, restèrent un moment sans bouger, privés d'énergie.

— Je ne sens plus mes pieds, souffla Thouyi, ni mes jambes, ni mon dos. Je brûle du dedans comme du dehors et...

— Tu as toujours ta langue, souligna Menî. Je suis sûr qu'elle s'agite même durant ton sommeil.

— Pfff ! Bien obligée de chanter pour couvrir tes ronflements.

Elle ouvrit le sac, sortit une courge, la rompit, en donna la moitié à Menî. Elle se mit à la mastiquer lentement, crachant ses pépins entre ses jambes. Lorsqu'il n'en resta plus que l'extrémité, elle frotta la pulpe sur son visage pour se rafraîchir. Puis elle s'étendit sur le dos, croisa les doigts derrière sa nuque et regarda le ciel à travers les feuilles.

— N'empêche, reprit-elle au bout d'un moment, c'est grâce à ma langue que je nous ai sauvés de Sobek. Parce que s'il avait fallu compter sur la tienne...

Menî exhala un profond soupir.

— Cessons de nous battre, nous avons besoin de toutes nos forces pour continuer.

— Il vaudrait mieux retourner près du Nil, conseilla Thouyi. Il n'y a rien devant, rien du tout.

— C'est au bout de l'horizon que Râ monte dans sa barque pour revenir à l'orient.

— Il n'y a qu'une désolation étendue à l'infinie, et le vent qui chasse en traître. Le scorpion attend caché sous les pierres, et l'hyène traîne son ricanement jaune entre les rochers.

Menî releva légèrement la tête.

— D'où tiens-tu cette peur du désert ?

Elle choisit de répondre par une pirouette.

— C'est le domaine de Seth. On raconte qu'il dérobe leur ombre aux nomades, et qu'après ils deviennent aussi transparents que l'air.

Menî se dressa sur un coude pour attraper le sac. Quelque chose en tomba. Il tendit la main, se figea net.

— Thou... Thouyi !

Les yeux exorbités, la mâchoire crispée, il fixait un serpent qui déroulait ses anneaux gris et bleus avec une lenteur menaçante. Glacé par la fascination, il voyait le reptile onduler vers lui, sa tête dandiner à hauteur de son bras. « Mort », eut-il le temps de penser. Ssssft ! L'animal eut un sursaut. Sa tête fut brutalement rejetée en arrière. Son corps se contorsionna comme s'il cherchait à s'extraire d'un nœud, puis il ne bougea plus.

— Que... ?

Menî perçut un frou-frou derrière lui. Debout, bien campée sur ses jambes, Thouyi faisait tournoyer sa fronde d'un geste désinvolte.

— Ramasse-le, dit-elle, bien rôti, c'est succulent... Ne crains rien, il ne te mordra plus.

— Je n'ai pas peur, mentit Menî, encore tout frissonnant. Mais je pense à ma Chabaka.

— Ta quoi ?

— Ma petite mangouste ! Elle chassait les souris et tuait des serpents comme celui-ci. Avec elle, je pouvais me promener en toute sécurité. Elle est morte il y a quelques jours...

Il se tut, releva ses jambes, posa son front sur ses genoux. Thouyi comprit qu'il avait besoin d'un instant de silence, de se sentir seul pour permettre à ses souvenirs d'éclater. Elle alla s'appuyer contre le tronc d'un acacia, laissa filer ses pensées vers le désert. Il ressemblait à une immense peau de serpent tavelée de reflets rougeâtres. Une légère brume tremblotait au-dessus du sol, vers l'horizon, pareille à ces vapeurs qui montent de la terre après l'orage. Quelques bourrelets au loin, noyés dans un brouillard de larmes. Thouyi renifla, essuya ses yeux avec le dos de la main.

— Ça ne va pas ?

Elle se retourna, croisa le regard de Menî, sut tout de suite que lui aussi avait pleuré.

— Le désert ne brûle pas que la peau, commença-t-elle. Il va chercher ce qu'il y a au fond de chacun, le fait bouillir au point que le caché remonte à la surface.

— C'est pourquoi tu le redoutes ?

— Il a pris mes parents. Mon père était un voleur : on ne lui a pas coupé le nez ni les mains, mais on l'a condamné à errer dans le désert sous peine de l'enterrer vivant s'il revenait. Je me souviendrai toujours du jour où il est parti, poussé par le soleil qui étirait son ombre devant lui comme un tapis de misère. Il n'avait pas le droit de se retourner, les gardes ayant pointé leurs flèches dans son dos. Moi, je serrais la main de ma mère et j'appelais sans cesse : « Papa ! Papa ! » Personne ne bougeait autour de moi, ni ma mère, ni les gens, personne. C'était comme si la vie s'était tout à coup arrêtée. J'ai suivi la silhouette de mon père jusqu'à m'en brouiller la vue, et puis le désert l'a avalé.

— Tu étais jeune quand c'est arrivé ?

— Quatre crues s'étaient écoulées depuis ma naissance. Je ne me rappelle pas bien mon père, mais cette image où il marche derrière son ombre, je la conserve au fond de moi comme une épine.

Menî ramassa une poignée de terre, la fit couler entre ses doigts. Sans relever la tête, il demanda :

— Qu'est-ce que tu es devenue après cela ?

Thouyi se déhancha et, sans quitter l'horizon des yeux :

— Il y a des trous dans mes souvenirs. J'ai passé mon enfance chez un gaveur d'oies qui m'a raconté que, quelques jours plus tard, ma mère m'avait confiée à lui pour partir à la recherche de mon père. Le désert ne me les a jamais rendus. Ils sont là, poussières d'os, mêlés au sable, au vent, aux tempêtes... Quand j'en ai eu assez de gaver des oies que je ne goûtais pas, je me suis enfuie.

— De sorte que tu n'as pas plus de souvenirs de ta mère.

— Une image surtout me revient : lorsqu'elle pressait sa joue contre la mienne. C'était doux comme le vent aux heures tièdes, quand le Nil commence à se parer de nacre, le matin ou le soir, au moment où les rayons de Râ effleurent à peine les choses.

Elle laissa passer un silence, ajouta :

— Marcher dans le désert m'effraie un peu : c'est comme si je foulais mes parents.

— Je comprends, souffla Menî, je comprends. Si tu veux me quitter pour t'en retourner...

— À quoi bon, répondit-elle, où que j'aille, c'est partout le désert pour moi. Pourtant, évoquer mes parents m'a fait du bien. Parler d'eux avec des mots pleins, des mots épais, c'est comme si je les avais vus revivre. Allez, ramasse ta bestiole avant qu'elle ne se transforme en un morceau de bois, termina-t-elle avec un pâle sourire.

Ils repartirent peu après avec une énergie nouvelle, le sac balancé à bout de bras. Ils marchèrent, marchèrent, mais l'horizon ne se rapprochait jamais, toujours enfumé de chaleur vibrante. Indifférent, le soleil incurvait sa course dans l'espace, plongeant vers son couchant. Un peu plus tard, Thouyi et Menî distinguèrent de longues coulées sombres semblables à de grands serpents immobiles.

— Les gardiens du domaine de Seth...

— Non, rectifia Menî, ce sont des traînées d'ombre entre les dunes.

De pierre, le désert se changea en sable, en collines sculptées par le simoun[1] et dressées en échine. Les crêtes poudroyaient, animées par le vent qui s'éveillait le soir et bondissait des montagnes du Sud en filées parallèles. Les jeunes gens gravirent une dune en se donnant la main, l'un aidant l'autre pour ne pas glisser en arrière. Mais une fois au sommet...

— Ça alors ! Une oasis !

1. Vent violent et chaud.

Une couronne de palmiers enserrait de minuscules lopins où poussaient des légumes et quelques céréales. Des rangées de sycomores chargés de figues rêvassaient devant les grands dattiers, étirant un liseré d'ombre bleutée qui délimitait les cultures.

— Je ne vois pas de village, s'étonna Menî.

— Peut-être derrière les autres dunes...

— Les paysans vivent près de leurs champs. Pourquoi seraient-ils allés se perdre plus loin ?

Ils descendirent, franchirent l'anneau des arbres qui balançaient leurs palmes à soixante pieds de hauteur. Thouyi accrocha le bras de son compagnon.

— Regarde ça ! s'exclama-t-elle en montrant un ensemble de constructions ressemblant à des coupelles retournées.

— C'est incroyable, le toit des maisons est au ras du sol. Ces gens-là vivent sous terre !

— Ne restons pas ici. L'endroit paraît désert mais je sens une foule d'yeux peser sur nous. Des regards sortis de terre !

Des flambées d'or embrasèrent le ciel, les dunes se mirent à charrier des langues de sang qui brunirent très vite et devinrent des pans d'obscurité. Le soleil toucha l'horizon, puis il sombra tel un navire en feu.

— Râ vient de fendre la terre, avertit Menî, et dans le trou béant il va entraîner sa chaleur et la lumière du jour. Où veux-tu aller ? Le désert sera bientôt froid et nu ; je ne veux pas me risquer sur sa peau de serpent.

— Cet endroit ne me plaît pas, insista la jeune fille. Je sens planer une menace.

— C'est dans ta tête, moi je ne sens rien du tout.

— Pssst !

Ils se retournèrent, crurent à un froissement de vent.

— Pssst ! relança le sol, pssst !

Ils découvrirent une silhouette qui leur faisait des signes, hésitèrent, échangèrent un coup d'œil avant de se décider à avancer. Un homme se détacha des ombres rondes des coupoles : il flottait dans une ample tunique et son visage disparaissait sous une barbe noire. Thouyi nota qu'il avait un air effaré.

— Venez, venez, les pressa-t-il, il ne faut plus rester dehors quand le sable devient bleu.

— Qui êtes-vous ? Il reste encore un peu de temps avant la nuit plombée.

— Nous sommes les Itsiks, le peuple des sables. Entrez vite ! Il se prépare une nuit terrible. Terrible !

Chapitre 9

La nuit féroce

La lune blafarde roulait dans le firmament. Le vent râpait les dunes, soulevait des envolées de sable bleu qui venaient crépiter contre les toits. Les palmiers gémissaient, craquaient, tordaient leurs feuilles comme s'ils voulaient s'arracher du sol. Des tourbillons s'élevaient partout, nés de rafales jetées en toupies au milieu de l'oasis. Elles chassaient les pierres devant elles, faisaient tressauter les portes des abris où se terraient les chèvres, les moutons et les ânes. La sakièh[1] grinçait, tournait toute seule. La nuit sifflait, feulait, grognait... Menî finissait d'avaler sa fricassée d'oignons. Une lampe à graisse brasillait au centre d'un cercle de jambes, taillant des ombres gigantesques sur les murs. Une famille complète vivait dans une pièce

1. Noria mue par des ânes qui tournent en manège (une noria est une roue à godets qui sert à élever l'eau).

unique, très basse, découpée en alvéoles qui servaient de lieux de repos et de remises pour les instruments. Des nattes, des jarres, des paniers, un petit four et une meule constituaient l'essentiel de l'ameublement. Cinq personnes habitaient là, confinées sous terre comme des taupes : un vieillard, l'homme qui les avait appelés, sa femme et ses deux enfants. Tous mangeaient avec des gestes lents et des claquements de langue. Personne ne parlait, gardant la tête baissée, rentrée dans les épaules, le regard fixé sur les pieds. Ce fut le vieux qui rompit le silence.

— Il y a des gens nés pour le rire, et d'autres voués à une éternelle damnation. Depuis la nuit des temps, les Itsiks se cachent dans le sable pour échapper à la colère de Râ. Et quiconque fait escale chez eux subit la même malédiction.

Thouyi décocha un coup de coude à Menî, lui murmura du bout des lèvres :

— Je t'avais prévenu : il fallait filer d'ici.

— Pourquoi ton peuple a-t-il démérité ? demanda Menî. S'est-il rendu coupable de quelque sacrilège ? A-t-il tenté d'arrêter la course de Râ dans le ciel ?

Thouyi crut bon de renchérir :

— Ce sont peut-être vos ancêtres qui ont planté à l'envers cet arbre appelé baobab...

Le vieil homme agita la main pour la faire taire : il n'aimait pas qu'une fille glisse son mot dans une discussion d'hommes.

— Il y a longtemps, très longtemps, il vint aux oreilles de Râ que les hommes commençaient à médire de lui, à perdre le respect qu'ils devaient à sa divinité.

Le bonhomme changea de ton, souffla plus bas comme s'il craignait d'être entendu du dehors :

— Râ avait beaucoup vieilli, et les hommes s'étaient aperçus de sa décrépitude. « Le soleil est trop chaud, geignait l'un, Râ ne sait plus doser ses rayons. » « Il se lève bien trop tôt, se lamentait un autre, je n'arrive plus à suivre le rythme de ses journées. » « Il se couche bien trop loin, gémissait un troisième, la nuit arrive trop tard et je manque de sommeil. » Parlant de Râ, il n'y avait que des « trop » et des « pas assez ». Alors les hommes finirent par se détourner de lui et adorèrent les pierres, le sable, le caca d'oie...

Il toussa, se racla la gorge, reprit :

— Devant leurs propos hostiles, Râ décida de les punir. Il se pencha sur le désert, vit le peuple des sables. S'il s'était penché du côté du Nil, il aurait trouvé le peuple de la vallée, ou s'il avait poussé jusqu'aux montagnes, il aurait découvert les Nubiens. Non, il a fallu qu'il se penche au-dessus du désert... C'est ainsi que les Itsiks sont devenus ses souffre-douleur.

Un petit enfant se mit à pleurnicher car la furie du vent l'empêchait de dormir. Sa mère le prit contre son sein, le berça doucement en lui caressant le front. L'autre posa sa tête sur les genoux de Thouyi, s'enfonça le pouce dans la bouche, commença à téter tout en s'hypnotisant à la flamme de la lampe.

— Et alors ? risqua Menî.

— Alors, de sa prunelle, Râ créa la déesse Sekhmet[1] et l'envoya semer la terreur parmi les Itsiks. Chaque nuit, elle se ruait sur les villages, massacrant hommes et bêtes. À la longue, pourtant, Râ eut pitié et ordonna à Sekhmet d'arrêter. Mais, enivrée par le sang, elle refusa d'obéir et continua de tuer.

Le vieux se tut, accepta le petit bol de bière que l'homme lui tendit. Il but à longs traits, mouillant sa barbe.

— C'est de l'histoire ancienne ou elle revient vraiment attaquer toutes les nuits ? demanda Thouyi.

— Elle est là, elle attend que le vent se calme. Elle glace la nuit par le silence : elle l'étire, elle le pétrit d'espoir comme on prépare sa pâte, puis, quand la tension se relâche, quand on se dit qu'enfin elle a abandonné, elle fond sur le village et détruit tout. Elle n'attaque pas chaque nuit, non, et c'est bien pire. Elle creuse en chacun de nous le trou de la peur, une peur vivante qui ne nous lâche pas, qui nous dévore le foie plus sûrement qu'une maladie.

1. La lionne : elle représente la force destructrice de Râ.

Menî remua. Depuis le début, une question lui brûlait la langue.

— En avez-vous parlé au roi ?

— Le roi est loin du désert, lui fut-il répondu. Il y chasse, ses soldats s'y égarent parfois, il doit connaître les autruches, les gazelles, les chacals et les hyènes, mais connaît-il les Itsiks ? J'en doute.

— Ce ne sont pas nos dattes qu'il reçoit sur sa table, appuya la femme, aussi pourquoi se soucierait-il de nous ?

— Je suis...

— Un roi ne peut rien contre un dieu, trancha Thouyi d'une voix forte, ferrant au fond de sa gorge la phrase que Menî s'apprêtait à lancer.

Les autres hochèrent la tête, évacuant des « oui, oui » qui traînaient comme des mots ensommeillés. Brutalement, il y eut un silence ! Un silence d'autant plus effroyable que tous avaient fini par s'habituer aux sautes du vent. Ils tendirent l'oreille pour discerner l'avance feutrée de Sekhmet. Cela dura. Un silence à ébranler les nerfs. Les respirations étaient lourdes, hachées. Les enfants qui dormaient s'éveillèrent, se redressèrent en se frottant les yeux, dérangés par l'absence du bourdonnement des conversations qui les avait endormis.

— Elle approche, chuchota le vieux, elle s'arrête sur le toit.

Instinctivement, la famille se resserra. Menî agrippa la main de Thouyi, noua ses doigts aux siens. Terrorisés, ils tentaient de suivre le déplacement de la lionne à ses grondements, au bruit de ses griffes contre la pierre.

— Je n'entends rien, murmura Menî à l'oreille de la jeune fille. Comment peuvent-ils être si sûrs que Sekhmet est au-dessus de nous ?

— Chut, ils savent, répondit-elle.

Menî observa les hommes. Le mouvement de leurs yeux le renseignait sur les allées et venues de la déesse. La pièce n'était plus qu'un intense halètement, un souffle moite. Menî avait l'impression de respirer avec le cœur tant sa gorge était oppressée par l'angoisse. Le toit creva d'un coup. Les enfants se mirent à hurler. À hurler ! Toutes griffes dehors, Sekhmet lacérait les habitations, lançaient de furieux coups de pattes, de terribles grondements roulés de ses entrailles. Les hommes plongèrent des torches dans le feu, les lui jetèrent pour la maintenir à distance.

— Il faut sortir ! cria Thouyi. Ça va s'écrouler sur nous !

— Si on sort, elle nous tue ! s'égosilla l'homme qui tentait de repousser l'énorme patte en la brûlant.

La lionne poussa un rugissement de douleur, retira sa patte des flammes des torches, mais planta sa gueule dans l'ouverture.

— Dehors on peut courir, répliqua Thouyi. Ici, elle nous prend au piège. Elle va éventrer la maison comme elle le ferait d'une fourmilière.

Elle bondit vers la porte alors que le fauve s'acharnait à élargir le trou du toit avec ses crocs. Menî se précipita derrière la jeune fille. La nuit, toute bleue, laquée d'ombres noires, explosait des éclairs jaillis du sol. Des tisons volaient tels des oiseaux de feu, retombaient n'importe où, achevaient de se consumer en minuscules points rouges. Les adolescents se faufilèrent derrière l'abri des moutons et des chèvres.

— On doit sauver ces gens, décida Menî. Ils sont restés à l'intérieur.

— Aide-moi à libérer les bêtes : elles paniquent, elles vont se piétiner là-dedans.

— Les Itsiks d'abord ! s'offusqua le garçon. Comment peux-tu...

— Obéis ! jeta-t-elle d'un ton plus fort, au bord de la colère. Je sais ce que je fais ! J'ai une certaine pratique de ces situations, quand les gardes de ton père me talonnent de trop près.

— Tu as dit mon père... tu me crois donc à présent ?

— Non, c'est sorti comme ça. Presse-toi !

Menî l'aida à retirer la barre qui bloquait la porte. Les Itsiks échappés de leurs maisons commençaient à s'éparpiller dans les jardins.

— Attention, prévint Thouyi, Sekhmet regarde par ici... Ça y est, elle nous a repérés.

La jeune fille ramassa un tison rougeoyant, l'envoya au milieu des chèvres, sur les litières. La flammèche hésita, flapota, fila sous les brins de paille, puis le feu sauta en l'air, transformé en brasier en un clin d'œil. Les chèvres escaladèrent les moutons pour s'enfuir plus vite, les ânes lancèrent des ruades désespérées, déchirant l'air de leurs braiments. Sekhmet arrivait. En trois bonds souples elle avait atteint la bergerie. Elle s'arrêta devant les deux adolescents, ouvrit une gueule immense pour les engloutir dans une même bouchée. C'est alors que le flot des animaux fonça sur elle. Plus effrayés par le feu que par la lionne, les bêtes la chargèrent, tête baissée, les cornes en avant. La déesse faucha les premières d'un magistral coup de griffes, mais elle fut heurtée de flanc par les autres, culbutée, renversée, piétinée... Dès lors, sa furie ne connut plus de bornes : elle se mit à mordre tout ce qui passait à sa portée : Itsik, chien, baudet. Elle s'en prit même à un tronc d'arbre qu'elle déchiqueta entièrement. Profitant de sa rage folle, Menî, Thouyi et les rescapés coururent se réfugier au fond du puits, suspendus aux cordes, les pieds battant dans le vide.

Quand Sekhmet eut fait place nette, elle se mit à arpenter l'oasis, grondant d'aise, fouettant l'air de sa queue. L'incendie se réduisait à une ronde de flammes qui allait en s'amenuisant, et les papillons d'étincelles qui retombaient par centaines ne risquaient plus d'allumer la nuit. Sekhmet vint renifler le puits, brisa la sakièh d'un coup de dents, puis elle s'éloigna, lentement...

Elle se coucha derrière les grands palmiers, se pourlécha les babines, le bout des pattes, gardant un œil sur le village détruit d'où ne montait plus aucune plainte. Au matin, la déesse lionne s'était transformée en dune.

Chapitre 10

Le sang des grenades

L'aurore vit bouger le puits. Une tête émergea, puis un corps, d'autres suivirent. Les femmes se lamentèrent en découvrant les maisons ravagées, le troupeau décimé, les réserves détruites. Les hommes fouillèrent les décombres à la recherche de leurs disparus cependant que les enfants, derrière eux, formaient une haie silencieuse, les yeux bouffis de fatigue.

— C'est comme ça à chaque fois, soupira un vieux. Et cela dure depuis des générations.

— Il faudrait...

Menî suspendit sa phrase, le temps que Thouyi s'accorde à ses pensées.

— Ni le roi ni son armée n'auront raison de Sekhmet, déclara-t-elle. Si elle doit être vaincue, ce sera par la ruse.

— Qui parmi nous oserait prétendre berner une déesse ? objecta une femme.

— Une magicienne, souffla Menî, une magicienne.

La jeune fille le prit à part, lui recommanda de ne pas dévoiler leur identité car elle ne savait pas comment réagiraient les Itsiks s'ils apprenaient qu'ils avaient hébergé une voleuse et un soi-disant fils de roi.

— Ils pourraient imaginer que Sekhmet a décuplé sa colère pour les punir de nous avoir acceptés parmi eux.

— La lionne est assoiffée de sang, réfléchit Menî. Si on pouvait lui faire boire du vin à la place...

Thouyi émit un léger sifflement.

— Tu deviens malin, reconnut-elle, hélas le vin n'a pas la consistance du sang, ni le goût. Et puis une déesse ivre pourrait se montrer encore plus violente.

— Tu as raison, se rembrunit Menî en tapant dans un caillou, elle risquerait de confondre l'aube et le crépuscule, et attaquer jour et nuit.

Thouyi l'attrapa soudain par le bras.

— Attends, je crois que j'ai une idée. Ce sont bien des grenades qui poussent là-bas ?

— Oui, mais...

Elle retourna en courant vers les villageois qui avaient entrepris de creuser un nouvel abri, les assembla autour d'elle.

— Vous avez de la bière, commença-t-elle.

Ce n'était pas une question. Les autres opinèrent, mâchonnant des « oui... oui... ».

— Possédez-vous aussi des racines de mandragores ?

— Oui, répondit une femme, elles nous servent de narcotiques, de purgatifs... Nous les avons achetées à des marchands nubiens.

— Alors écoutez-moi, reprit Thouyi, levant les mains pour capter l'attention. Je veux préparer une potion qui apaisera Sekhmet et lui fera oublier le goût du sang.

— Qui es-tu pour parler ainsi ? grogna quelqu'un. Tu crois qu'il te suffit de...

— Assez ! trancha le vieil homme qui leur avait offert l'hospitalité. Cette fille prononce des mots d'espoir. Qu'elle continue !

Menî la devança. Il plongea la main au fond de son sac, sortit la larme de Sobek, la tint bien haut.

— Cette larme vient du dieu Sobek que nous avons scellé dans la cire, expliqua-t-il.

— C'est une grosse perle...

— Un œuf de caille...

— Un caillou blanc...

Le vieux leur imposa le silence. Menî poursuivit :

— Je vous promets, de la même manière, d'arracher une dent à Sekhmet.

Les gens se turent, le fixèrent avec des mines ahuries, comme s'il venait d'énoncer une énormité. Menî croisa le regard de Thouyi. Elle lui décocha un tel coup d'œil qu'il eut l'impression de devenir, à l'instant, un moucheron au milieu d'un plat.

— Voilà de belles paroles de roi, lui glissa-t-elle sans être entendue des autres. Mais quand cesseras-tu, caneton, de te prendre pour un vautour ?

Elle éleva la voix, s'adressant aux Itsiks :

— Apportez tout ce qui vous reste de jarres, de cruches, de bols, et que chacun s'applique à la tâche que je vais lui assigner.

D'abord incrédules, ils émirent quelques molles protestations, puis ils acceptèrent la proposition de Thouyi. Mais c'était sans enthousiasme, résignés à cette morne fatalité qui faisait d'eux des êtres sans élan, sans éclair au fond des prunelles : ils avaient essayé tant de fois de s'opposer à Sekhmet, en vain, ils avaient toujours été vaincus. Ils se mirent donc à rassembler tous les récipients qu'ils purent trouver ; certains allèrent cueillir les grenades tandis que d'autres s'activaient à écraser les racines fourchues des mandragores afin d'en extraire le jus. Thouyi passait d'un groupe à l'autre, fouettant les énergies, gonflant les cœurs. Menî aidait au pilage des grenades, broyant les fruits jusqu'à l'obtention d'un liquide couvert d'une mousse qui dégageait une odeur si capiteuse qu'il croyait, à la respirer, en goûter la saveur sucrée.

— On dirait du sang, fit-il remarquer à Thouyi.

— J'espère bien que Sekhmet en aura aussi l'illusion... mais tu peux compléter le breuvage en donnant un peu du tien, ajouta-t-elle avec un sourire malicieux.

— S'il le faut, répondit-il en allongeant son bras au-dessus de la jarre.

— Seras-tu prêt à le fourrer dans la gueule de Sekhmet si elle exige le sacrifice de ton bras ?

Menî tira une moue, frissonna au souvenir du dieu crocodile. Il ferma les yeux, pria pour que la grande lionne se laisse allécher par la boisson de Thouyi.

Durant toute la journée, les Itsiks se brisèrent les reins et les bras à cueillir, transporter, piler, brasser, transvaser... mêlant le jus des grenades à celui des mandragores et à la bière. Ils chargèrent ensuite les cruches sur des ânes et allèrent les déposer de l'autre côté des dunes, à l'extérieur de l'oasis. Au moment de rebrousser chemin, les Itsiks vinrent chacun poser la main sur l'épaule des deux jeunes gens, les saluant comme on fait ses adieux à quelqu'un qu'on ne reverra plus. Puis ils se hâtèrent de rentrer, dispersèrent les animaux dans la nuit naissante et coururent se jeter dans le puits, accrochés aux cordes, pareils à des grappes de raisin.

Chapitre 11

La dent de Sekhmet

— J'ai peur, avoua Menî en voyant que les crêtes commençaient à fumer, à lancer des poignées de sable dans les yeux.

— J'aimerais avoir les ailes de l'hirondelle pour m'envoler très haut, murmura la jeune fille.

Le sable bleuit. Un bleu de poison d'abord, plus foncé que le ciel, et qui dressait les dunes en vagues gigantesques. Puis il vira au bleu de jade, et la nuit s'embrunit d'un coup.

C'est d'une voix tremblante que Menî demanda :

— Tu crois qu'elle va revenir ? Ces gens disaient qu'elle n'attaquait pas de façon régulière.

Au fond de lui, il souhaitait ardemment que Sekhmet aille chasser ailleurs.

— Tu veux ta dent ? Alors autant que ce soit cette nuit plutôt que la nuit prochaine.

Elle essayait de lui insuffler du courage, de le rendre fort, mais c'était tout autant pour se donner du cœur à elle-même.

— J'ai dit n'importe quoi, je...

— Te voilà prisonnier de tes mots. Tu n'as pas d'autre issue que rapporter cette dent ou mourir.

— Et toi ?...

Thouyi évita de le regarder, ne tenant pas à ce qu'il découvre la lueur de terreur folle qui habitait ses yeux. Elle aspira de l'air à pleins poumons, comme lorsqu'on s'apprête à se jeter dans l'eau ou du haut d'une falaise. Elle appela :

— Sekhmet !... Sekhmet !... Nous t'apportons le sang nouveau ! Baigné des feux de Râ, il est plus chaud, plus léger, plus délicat que le sang lourd et fade des fellahs. Il est le sang des rois, le sang des dieux mêmes qui se sont offerts à toi.

— Tu es folle ! grinça Menî. Si elle apprend qui je suis, elle va me...

— Alors clos ton bec une fois pour toutes ! Et retiens qu'une larme de voleur n'est ni plus ni moins salée qu'une larme de roi. Il n'y a que les dieux et les rois eux-mêmes pour croire à une différence.

— Mais...

— La différence est dans ta tête, fils de bouffon !

Une dune se mit à couler. De fins serpents de sable glissèrent de la crête, puis des vagues s'animèrent sur son flanc : la dune se secouait. Un grognement sourd monta du sol, roula en orage. La montagne de sable bougea, tourna sa tête de lionne vers les étoiles.

— Sek... Sekhmet... bégaya Menî.

La déesse chercha d'où venait le filet de voix, découvrit du fretin d'humain entre ses pattes. Thouyi sentit qu'elle devait parler tout de suite sinon elle n'aurait plus l'audace de le faire.

— Nous t'avons réveillée, ô puissante Sekhmet, mais ne lance pas ta colère contre nous. Vois ces cruches : elles sont remplies d'un nectar divin qui...

— Quels dieux m'ont offert leur sang ? gronda la lionne.

Menî cueillit le regard de Thouyi, lâcha :

— S... Sobek !

— Pouah ! Celui-là sent le frai de poisson.

Sekhmet pencha la tête, renifla le breuvage.

— C'est vrai, reconnut-elle, ce sang dégage une vilaine haleine.

— C'est fichu, murmura Menî, elle a décelé l'odeur de la mandragore.

Thouyi fit un suprême effort pour se parer d'un sourire qui ne soit pas une grimace.

— Sobek n'est que la croûte, la bulle qui crève : il y a là, mélangés, le sang de Râ et des étoiles, celui du serpent blanc et de la lune rousse, le sang du Nil et du limon qui, pareillement, lèvent le blé et chantent l'or des rives. Tu sentiras sous tes papilles le sang d'Horus et de l'ibis sacré, et le velours d'Isis chaud des matins de pluie. A côté, le sang des hommes – fût-il de roi – te paraîtra pis que jus de navet.

— Il me semble, reprit la lionne, que la sagesse me commande de vous dévorer d'abord et de me désaltérer ensuite.

— Et tu perdrais ainsi la saveur de ce sang. Même Râ n'a jamais goûté pareil délice. Tu hésites... Aurais-tu peur ?

Sekhmet lança une gifle de sable avec sa queue. Elle se leva, fit semblant de s'étirer mais, d'un bond, saisit chacun des adolescents entre ses griffes aussi longues que des sabres.

— Je vous croquerai à la fin, minauda-t-elle d'un air chafouin[1]. Vous serez mon dessert, ma friandise, mon sucre de miel.

Fléchissant sur ses pattes, la lionne s'approcha de la première cruche, trempa sa langue, s'humecta le palais.

— Il est bon, feula-t-elle. L'odeur s'oublie avec le goût.

Elle lapa entièrement la première cruche, passa à la seconde, à la troisième... La potion de Thouyi eut un tel effet sur Sekhmet qu'elle vida toutes les cruches sans prendre le temps de relever la tête

1. Rusé, sournois.

pour souffler. Quand elle eut nettoyé le dernier pot, elle émit un bâillement sonore puis se coucha, satisfaite.

— Je vous mangerai plus tard, avertit-elle. Je vais retourner à mon somme, j'aurai un léger creux au réveil.

Elle ne tarda pas à s'assoupir, assommée par les effets de la bière et de la mandragore, et commença à ronfler avec des flapotements de babines.

— Nous voilà bien, gémit Menî, elle a refermé ses griffes sur nous et...

Il arrêta sa phrase, observa avec stupeur les griffes qui s'effritaient, tombaient sur lui en poussières blanches.

— Que se passe-t-il ? On dirait qu'elle... qu'elle se désagrège...

— J'ai profité de ce que vous étiez tous occupés à bâter les ânes pour parfaire ma potion. Trois pincées d'azurite, trois petites formules magiques, et notre déesse va retomber en sable. Elle était dune, elle va devenir grains de vent. Hâte-toi de te libérer pour arracher sa dent, sinon tu n'auras plus qu'une poudre d'ivoire.

Menî écrasa les griffes sous ses doigts, grimpa sur la patte, s'enfonçant jusqu'aux genoux dans une espèce de cendre jaune qui craquait sous ses pas. Le corps de Sekhmet n'était plus qu'une immense croûte s'effondrant par endroits.

— J'y suis ! s'écria Menî en empoignant un croc de la lionne.

La dent se détacha toute seule. La tête se fendit en deux, s'écroula comme une coulée de terre emportée par la pluie. Le dos s'affaissa en une succession de petits dômes de sable. Le vent balaya la déesse, essaima ses cristaux à travers le désert...

— Sekhmet ne tuera plus ! claironna l'adolescent en s'extirpant du sable, sa dent brandie à bout de bras. Et j'ai mon second trophée !

Il gratifia Thouyi d'un large sourire.

— Tu es vraiment formidable et je suis fier d'être ton ami. Tu vaux plus, à toi seule, que tous les officiers de mon père réunis.

Thouyi hocha la tête : allons bon, voilà que ça le reprenait.

Les Itsiks les accueillirent avec des cris de joie. Ils jaillirent de leur puits et se mirent à danser autour des deux jeunes gens. Un homme fit pourtant remarquer que, puisqu'il manquait désormais une dune, le vent allait souffler plus fort sur l'oasis. On le rabroua, on le fit taire, on lui bourra la bouche de sable.

— Vous allez pouvoir construire vos maisons sur le sol, et non plus en dessous, déclara Thouyi, et prendre le frais de la nuit en vous asseyant sur le seuil.

Le vieil homme qui les avait reçus s'approcha.

— Restez avec nous, leur dit-il, il y a de la place dans mon foyer et du travail pour tous dans nos jardins.

— Non, le remercia Menî, je dois poursuivre ma quête de l'horizon. Je veux rapporter un morceau de terre brûlée, là où le soleil s'enfonce dans le désert.

— Tu ne découvriras rien du tout, expliqua le vieux. D'autres ont cherché l'horizon avant toi, mais il recule sans cesse ses limites. Il y a dix ans, un homme que des gardes avaient chassé est parti lui aussi en direction du couchant. Et quelques jours après son épouse derrière lui.

Thouyi écoutait le bonhomme de toutes ses oreilles, de tous ses yeux, de toute sa bouche qu'elle avait entrouverte. En équilibre sur une jambe, elle semblait figée dans un mouvement, le corps penché en avant, le cou tendu, pour ne pas perdre une miette des paroles du vieillard.

— Et... et alors ? balbutia-t-elle.

— Ils sont revenus des lunes plus tard, épuisés. Le soleil les avait ridés, tannés, desséchés. L'horizon est impossible à atteindre. Il naît toujours de nouvelles dunes, de nouvelles rocailles entre celui qui marche et lui. Et lorsque tu gravis ce qui te paraît la dernière montagne, une nouvelle étendue s'offre à toi, infinie, rouge et battue de sable...

— Que sont devenus l'homme et la femme ? demanda Thouyi d'une petite voix.

— Ils n'ont pas survécu à leurs brûlures. Nous les avons enterrés au pied d'une dune... celle qui vient de disparaître.

La jeune fille se détourna, marcha vers le désert, s'arrêta à la bordure de l'oasis. Menî respecta la peine de Thouyi et la laissa seule un long moment, puis il vint derrière elle, lui posa doucement sa main sur l'épaule.

— Tu peux rester si tu veux, murmura-t-il.

— A quoi bon, renifla-t-elle, à quoi bon. Le fleuve a charrié tant de limon depuis, et le vent déplacé tant d'échines de sable. Où veux-tu aller à présent ?

— Je suis allé à l'est et à l'ouest, le nord est bien trop loin : je le laisse à mon père. Il nous reste le sud, le haut pays nubien...

Chapitre 12

LES NUBIENS

Thouyi s'arrêta, regarda au loin. Elle appela Menî qui s'humectait les lèvres à sa gourde de peau.

— Pfff, que ce sac est lourd, se plaignit-il en approchant.

— Que dirais-tu si, à la place de la dent de Sekhmet, ç'avait été une défense d'éléphant ?

Elle lui montra un panache de poussière. Une fumée jaune courait devant l'horizon, se diluait dans l'azur en buée, en sèche exhalaison...

— Un troupeau d'antilopes, précisa Menî. Quelque chose a dû les effrayer : un fauve, des chasseurs, peut-être des soldats. L'armée patrouille le long des pistes pour protéger les caravanes qui rapportent l'or des mines.

— Ou tout simplement elles vont boire, rectifia la jeune fille.

Le Nil, en effet, s'étirait non loin de là. Il n'était plus aussi majestueux qu'en aval : ses berges plus élevées, plus rocailleuses, ne bénéficiaient pas de la montée des crues, et son cours se brisait en cataractes. Cela n'empêchait pas de petites embarcations à voile carrée de s'aventurer d'un village à l'autre pour y échanger des produits. Menî remarqua qu'il y avait d'autres fumées, blanches celles-là, signalant la présence d'habitants sur la rive.

— Tu verras tes premiers Nubiens, dit-il. Leurs yeux sont aussi brillants que leurs dents, et ils sont coiffés d'une étrange manière.

Un village se dessina bientôt. Des toits de palmes, coniques, dépassaient d'une haie de fascines qui ceinturait les cases construites en torchis. Des palmiers et des figuiers apportaient une note de verdure et de fraîcheur dans l'ocre brûlant du paysage. Des enfants aperçurent les deux arrivants. Ils attirèrent les adultes par leurs appels et leurs sautillements, et ce fut tout un groupe qui assista à l'entrée de Menî et de Thouyi, surpris de les voir surgir du désert. Les Nubiens étaient grands, avaient la peau sombre ; leurs cheveux crépus étaient teints au henné, et les hommes arboraient une plume d'autruche piquée au sommet du crâne. Les femmes portaient de longues jupes bariolées, les hommes des pagnes rouges ou en peau de panthère.

Les enfants couraient nus, les cheveux noués en trois petites couettes. Les plus petits se faisaient transporter sur le dos de leur mère dans des paniers retenus par un bandeau frontal. Une femme proposa à Menî des œufs d'autruche, un homme une queue de girafe pour servir de chasse-mouches, un autre des peaux de gazelle, un troisième promena sous le nez de Thouyi des plantes aromatiques servant à la confection des parfums. Mais lorsqu'ils comprirent que les nouveaux venus n'avaient rien à leur donner en échange, ils repartirent vers les cases d'un pas lent, traînant les pieds.

— Nous avons vu un troupeau d'antilopes, dit Menî pour ne pas paraître tout à fait inutile.

La phrase eut son effet : les hommes se retournèrent, le pressèrent de questions, puis ils coururent s'équiper de lances, d'arcs et de flèches et se ruèrent hors du village. Restés seuls, les femmes et les vieux offrirent à Menî et à Thouyi le miel de l'hospitalité, puis ils se mirent à leur raconter leurs misères : les marchands égyptiens les volaient en leur donnant des bijoux de pacotille qui ne brillaient qu'un jour, le rire des hyènes les empêchait de dormir, les enfants poussaient de travers, perdant trop vite le respect qu'ils devaient aux aînés, et les babouins de la montagne étaient devenus fous car ils criaient sans cesse.

— Ils se chamaillent, souligna Menî. Les singes se querellent souvent à propos de n'importe quoi : une portion de territoire, une femelle, une mue de serpent...

— Non, non, rectifia un vieux Nubien qui n'avait plus que quelques cheveux au-dessus des oreilles, ils ne se battent pas entre eux. Ils lancent des cris en l'air, les modulent en accès de colère, en suppliantes lamentations, en discours adressés au ciel. On croirait qu'ils chantent. Et puis, sans raison apparente, ils cherchent les points les plus élevés, les corniches, les falaises, et se jettent dans le vide comme... – le vieux se passa la langue sur les lèvres – comme s'ils voulaient voler.

— Ils sont devenus agressifs, compléta une femme qui donnait le sein à son bébé. On ne peut plus envoyer nos jeunes hommes dans les carrières pour rapporter l'agate et la cornaline. Bientôt les marchands égyptiens ne s'arrêteront même plus chez nous.

Une autre, aux yeux aussi grands et doux que ceux d'une gazelle, agita la main pour prendre la parole.

— Il y a des jours où les babouins se contentent d'entourer nos hommes et de les observer en se grattant le ventre, mais à d'autres moments ils les assaillent à coups de pierres et les attaquent sauvagement.

Une vieille femme, ratatinée par l'âge et le soleil, émit un clapotement de lèvres car elle n'avait plus de dents. Tous se turent pour l'écouter.

— Mon fils s'est fait mordre de l'épaule jusqu'au poignet. Des trous gros comme le pouce. La montagne est devenue maudite.

Elle donnait l'impression de mâcher ses morceaux de phrases, claquant de la langue pour appuyer ses dires. Les autres hochèrent la tête, bien d'accord avec elle. Une gamine déclara que son père avait eu la peau du crâne arrachée par un mâle qui s'en était pris à ses cheveux.

— Même Horus[1] n'ose plus se poser sur la montagne. Il vole d'un sommet à l'autre, et ses ailes s'alourdissent de fatigue. Qu'adviendra-t-il s'il tombe ? Les dieux peuvent-ils succomber sous les griffes des singes ?

Menî et Thouyi s'échangèrent un regard : ils pensaient à Sobek et à Sekhmet, mais Horus était le dieu du Bien. S'il disparaissait, son oncle Seth prendrait le pouvoir et précipiterait l'Égypte dans le chaos.

— Je ne sais pas, répondit la jeune fille. Si les babouins se jettent du haut de la montagne, il n'en restera bientôt plus.

— Oh ! non, car ils sont innombrables. Le grand faucon s'épuisera bien avant.

1. Le dieu Faucon, fils d'Isis et d'Osiris.

Thouyi sentit que Menî allait s'abandonner à une nouvelle promesse, celle de rapporter une queue ou une crinière de babouin par exemple. Elle annonça que les jours passés dans le désert leur avaient collé le sable à la peau, et qu'un bain leur serait salutaire à tous deux. Sans attendre de réponse, elle saisit Menî par la main et l'entraîna vers le Nil. Une ribambelle d'enfants courut derrière eux et plongea en même temps dans le fleuve.

Les chasseurs rentrèrent avant la nuit. Ils lancèrent des « Yop ! Yop ! Yop ! » qui jetèrent les femmes hors des cases. L'effervescence du village réveilla les deux adolescents qui, après la baignade, étaient allés se reposer sous l'ombre d'un auvent de feuilles. Menî s'étira de tout son long.

— Aaahhh ! J'ai dormi comme une pierre.

Thouyi avait rêvé qu'Horus s'était fait plumer par les singes comme un vulgaire canard, mais elle n'en pipa mot.

Les Nubiens ramenaient deux addax[1] suspendus par les pattes à une perche que les plus robustes maintenaient sur leurs épaules. Les cornes en forme de spires étaient si longues qu'elles traînaient sur le sol, traçant deux lignes parallèles. Très rapidement, les bêtes furent dépecées, embrochées, portées au-dessus des feux. Et tandis que les jeunes filles

1. Antilopes blanches.

surveillaient la cuisson et tournaient les antilopes pour qu'elles rôtissent uniformément, des femmes tendaient les peaux sur des cadres en bois afin de racler la graisse. Elles seraient ensuite séchées au soleil puis tannées. Les hommes, eux, racontaient les épisodes de la chasse, s'envoyant de grandes claques sur la poitrine pour louer le brave ou railler le vantard.

Le repas eut lieu en cercle autour d'un grand feu. Chacun allait se servir et revenait s'asseoir, son morceau fumant à la main. À un moment, le chef du village fit signe à Menî et à Thouyi de le rejoindre dans sa case. Là, il offrit au garçon une superbe peau d'oryx, déclarant :

— Si vous ne nous aviez pas signalé le passage du troupeau, nous aurions dû nous contenter de courges et de dattes pour de longs jours encore.

— Elle est belle, fit Menî en déroulant la peau contre lui.

La femme du chef proposa à Thouyi de choisir ce qui lui plairait parmi les objets étalés devant elle. La jeune fille opta immédiatement pour différentes poudres conservées dans des vessies de singes : l'azurite bleu-du-ciel, la malachite au vert intense, le réalgar[1] qui venait des sources chaudes et donnait un pigment orangé, l'hématite rouge et brune dont se

1. Minerai d'arsenic qui fournit la teinte orange.

paraient les guerriers, et diverses poudres d'argiles allant du vert à la terre d'ombre. Thouyi fourra le tout dans son sac, se releva, rayonnante.

— Mélangées à de la graisse, elles feront d'excellentes teintures.

— Tu les associes déjà à quelques pratiques magiques, lui chuchota Menî.

— Pas du tout ! se défendit-elle. Je veux m'en servir pour me maquiller : farder mes paupières, dessiner et agrandir le tour de mes yeux comme le font les dames du palais avec leur khôl[1]... À propos, tu ne m'as jamais dit qui était ta mère.

— Mais... la reine, répondit Menî sur le ton de la plus naturelle évidence.

— Bien sûr, maugréa Thouyi en le bousculant pour sortir. Où avais-je la tête ?

Les Nubiens s'étaient mis à danser autour du feu, marquant le pas au rythme des tam-tams constitués par des peaux tendues sur des calebasses ou des grosses coucourdes évidées. Les hommes formaient le premier cercle et brandissaient leurs armes, les femmes les enfermaient dans un second anneau et battaient la mesure en frappant dans les mains. Tous martelaient le sol de leurs pieds nus, ahanant

1. Poudre onctueuse provenant de la combustion incomplète de l'antimoine, de l'oxyde noir de manganèse ou de plomb. L'emploi du khôl est excellent pour la vue et réputé éviter toutes les affections de l'œil.

et poussant des cris stridents. Thouyi se mêla aux danseurs, se déhancha pour attraper la cadence, gesticula des bras, du tronc, des jambes sans chercher l'harmonie avec les autres, se souciant uniquement d'accorder son corps aux battements des tambours. Les Nubiens éclatèrent de rire, certains tentèrent de l'imiter. Thouyi repéra Menî qui l'observait d'un air goguenard. Elle vint vers lui sans cesser ses contorsions, l'attrapa, l'entraîna malgré lui dans la danse.

— Bouge-toi, tortille tes fesses ! Ne reste pas là comme un piquet ! C'est autre chose que de regarder trois courtisanes se tordre le ventre au son d'une harpe !

Rouge de honte, Menî tenta de faire bonne figure : il leva les bras, prit l'allure dandinante des singes hamadryas.

— C'est bien, l'encouragea Thouyi, encore un petit effort et tu vas perdre tes airs de palais.

Le feu s'éteignit tard dans la nuit. Chaque famille rentra sagement se coucher, mais alors que Thouyi s'apprêtait à aller dormir dans la case qu'on lui avait réservée...

— Je veux profiter de la nuit pour me rendre sur la montagne aux babouins, annonça Menî.

— Je savais bien que quelque chose te pesait encore : tu n'as pas sauté très haut tout à l'heure. Mais la nuit est faite pour dormir.

— C'est la seule façon de ne pas se faire repérer par les singes. Eux aussi dorment la nuit.

— Je ne sais pas si j'ai envie de te suivre...

Il insista, promit de lui donner du khôl une fois rentrés à Nekhen. Elle poussa un profond soupir, alla chercher le sac.

— Si, nous rentrons ! Cette fois nous allons nous heurter à un fort parti, et je crains que ma magie ne nous soit d'aucun secours : ces singes ne sont pas des dieux.

— Il faut sauver Horus.

Thouyi leva les yeux au ciel.

— À t'entendre, le monde est un hochet d'enfant.

Ils sortirent du village, lui devant, d'une démarche altière, balançant un bâton deux fois grand comme lui, elle traînant derrière, ronchonnant, son sac suspendu à l'épaule. La nuit les avala.

Chapitre 13

La montagne aux babouins

Le caillou dégringola en ricochets secs. Ils s'immobilisèrent, écoutèrent les crépitements renvoyés en échos.

— Fais attention, chuchota Menî, les sons portent loin la nuit.

— Je l'ai fait exprès, têtard stupide. Dommage que tu n'aies pas apporté de trompe, j'aurais sonné le réveil de l'univers.

Ils avaient atteint la montagne. Elle s'élevait en bourrelets qui paraissaient se bousculer jusqu'aux étoiles. L'aube était proche, des coulées jaunes suintaient des sommets et le sol grisait lentement. Thouyi passa le sac à Menî, traversa la langue de rocailles en sautillant comme une gazelle. Menî soufflait mais il n'osait pas se plaindre : c'était lui le chef de l'expédition ! Ils escaladèrent une série de blocs, s'arrêtèrent pour assister au lever de Râ qui hissait son disque dans le flamboiement du ciel.

— Là-bas, c'est Horus ! s'exclama Menî, montrant une forme qui nageait dans l'or du soleil. Nous l'avons trouvé !

— Les singes aussi nous ont trouvés, répliqua Thouyi en brisant sa voix. Regarde un peu autour de toi.

Ce qu'ils avaient pris pour des grosses pierres ou des feuilles dans les arbres se mit à remuer. Le flanc de la montagne ondulait, frémissait. Un gros babouin se risqua en bas d'un tronc, tâta le sol, s'assurant qu'il ne s'était pas dérobé durant la nuit et que des serpents ne s'étaient pas dissimulés dans les trous de l'écorce ni entre les racines. Il poussa un petit cri en apercevant les intrus, fit mine de se sauver, revint, les étudia de ses yeux rouges. Juchés sur les rochers ou dans les branches, les singes suivaient ses mimiques, attendant sa réaction pour savoir quelle attitude adopter. Comme elle tardait, les vieux étouffèrent des bâillements sonores en ouvrant des gueules de panthère, puis ils se laissèrent tomber par grappes, s'approchèrent, montrèrent les dents. Les femelles se réunirent à l'écart avec leurs petits, les coincèrent entre leurs pattes, les épouillèrent consciencieusement, n'oubliant ni le derrière des oreilles ni le pli des genoux.

Menî prit son amie par la main.

— Ils se grattent le ventre, marmonna-t-il, on peut passer.

— Tu crois ? Il y en a un qui vient de se poster devant nous et nous présente son postérieur.

— Du moment que ce ne sont pas ses crocs...

Il osa un pas, Thouyi suivit.

« Pourvu qu'ils n'aillent pas s'imaginer qu'on en veut à leur territoire ou à leurs petits ! » espérait Menî. « Ne pas avoir peur, ne pas avoir peur », se répétait de son côté Thouyi, sachant que s'ils décelaient la moindre crainte les babouins pourraient devenir agressifs.

Les singes les regardèrent partir. Le gros qui les avait découverts le premier s'assit dans la poussière, se passa plusieurs fois la main sur la tête, comme s'il se coiffait ou réfléchissait.

— On n'arrivera jamais jusqu'au sommet, se désola Thouyi, il y en a partout, partout. On ne peut pas leur raconter des histoires, à ceux-là, ni leur faire prendre de la cire pour du miel et encore moins du jus de grenade pour du sang.

— Ni leur apprendre à voler, admit Menî. Encore que, si l'on considère que tu es une hirondelle...

— Que feras-tu quand tu seras face à Horus ?

— Je lui apporterai mon aide.

— De quelle manière ? Qu'est-ce qui te rend si confiant en toi ?

— Toi ! Tu trouveras bien une idée.

— Moi ? s'étrangla Thouyi. Mais...

Ils cessèrent de parler lorsqu'ils constatèrent que leurs paroles s'accompagnaient d'une escorte de plus en plus resserrée de babouins. Ils continuèrent leur progression en silence, s'aidant des mains et des pieds dans les passages difficiles. Soudain les singes se mirent à criailler. Sans raison. Cela partait d'un groupe, sautait à l'autre, rebondissait à un troisième avant d'enfler en clameur assourdissante. Menî prit peur, ses gestes devinrent plus saccadés. Son pied glissa, il dérapa, redescendit la pente sur le ventre. Thouyi vint l'aider à se relever.

— Ne panique pas, ne panique pas, supplia-t-elle, sinon ils vont nous écharper.

Et puis, tout aussi brusquement que les cris avaient éclaté, le ton changea, modulé à l'aigu. Des sons flûtés montèrent en cascade, roulèrent d'un bord à l'autre de la montagne. Debout, la tête renversée en arrière, les babouins chantaient. Les adolescents profitèrent de ce que les singes avaient tous le regard tourné vers le ciel pour s'éclipser. Ils empruntèrent un étroit passage entre deux parois, gravirent des monticules de rocs et d'arêtes tranchantes écroulés des sommets.

— On dirait une longue prière, remarqua Thouyi.

— Oui. J'ai l'impression qu'ils s'adressent à Râ pour lui demander une faveur.

Une ombre géante passa au-dessus d'eux. Horus ! Une volée de pierres jaillit du sol, obligea le dieu faucon à redresser son vol. Menî souffla :

— Ils l'empêchent de se poser.

— Il bat d'une aile, il est épuisé, il ne tiendra plus longtemps.

Horus s'éloigna en se laissant porter par un courant aérien. Il décrivit un cercle, parut se figer dans l'air bleu, tomba en piqué, incurva son vol au ras du sol, repoussé par des hurlements de rage. L'instant d'après, il était à nouveau au-dessus des jeunes gens. Thouyi s'inquiéta.

— Il va déchaîner la colère des babouins contre nous s'il persiste à nous suivre.

Le dieu la comprit-il ? Il s'écarta d'un coup d'aile et disparut derrière la montagne.

— Une partie des singes se lance à sa poursuite, observa Menî. Ils foncent vers le sommet. Profitons-en pour grimper par un autre côté.

Un groupe de babouins apparut tout à coup au-dessus d'eux, sur un promontoire dominant un ravin. L'un des animaux se jeta dans le vide. Un autre l'imita, s'écrasa au milieu des rochers.

— Ils sont devenus fous ! s'écria Menî.

— Non, dit Thouyi, ils ne sont pas devenus fous. Regarde, ils s'efforcent simplement de voler.

Debout sur leur surplomb, les babouins se bousculaient pour sauter les premiers. Ils avançaient au bord du ravin puis, avec un piaillement d'oiseau, ils se lançaient en avant, battant des bras pour tenter de rattraper leur plongeon.

— Ils sont devenus fous quand même, objecta Menî. Depuis quand les singes sont-ils des oiseaux ? Tant qu'à faire, un jour ils se prendront pour des hommes.

— Ils auront sans doute moins de mal...

Les jeunes gens poursuivirent leur ascension, s'accrochant aux touffes d'herbe, aux racines apparentes, aux arbustes, provoquant des éboulis en cascades quand les pieds ripaient sur la roche et la décrochaient de la paroi. Ils se hissèrent enfin sur le revers d'un escarpement, regardèrent au-dessus d'eux, calculant la distance qui leur restait encore à parcourir. Menî respira à fond.

— Courage, le sommet n'est plus très...

Le mot resta dans sa gorge. Des formes gesticulantes les entouraient. Les babouins qui s'étaient précipités derrière le dieu faucon étaient revenus, d'autres étaient sortis des trous de la montagne et cernaient les deux adolescents.

— On est bloqués, dit Menî.

Thouyi nota qu'ils ne chantaient plus et qu'ils avaient cessé de se prendre pour des oiseaux de plomb. Un grondement menaçant courut le long des rangs. Les dominants lancèrent un cri strident. Puis ils avancèrent, le museau retroussé dans une grimace effrayante. Thouyi ramassa quelques cailloux à la hâte, arma sa fronde. Menî brandit son long bâton. De gros mâles se portèrent en avant, la gueule béante, les crocs découverts, avec des rauquements féroces. Menî fit tournoyer son gourdin, l'abattit sur le premier rang. Les singes hurlèrent, s'éparpillèrent. Fauchant de droite et de gauche, l'adolescent réussit à les maintenir à deux enjambées de lui. Thouyi faisait mouche à tous les coups avec sa fronde : les babouins sautaient en l'air avec des cris perçants chaque fois qu'elle les touchait. Un singe ramassa une pierre, tenta de la renvoyer sur la jeune fille. Le caillou retomba sur une femelle qui, de colère, le mordit dans le dos. La querelle dura peu et les babouins suivirent l'exemple ; saisissant tout ce qui pouvait servir de projectiles ils se mirent à arroser copieusement les adolescents. Thouyi se protégea derrière le sac. Les mains en sang, le cœur au bord des lèvres tant l'effort l'avait brisé, Menî vint se réfugier près d'elle.

— Nous sommes perdus, balbutia-t-il, perdus...

Chapitre 14

La plume d'Horus

Horus fondit du haut du ciel. Il plongea droit sur les babouins, ouvrit leurs rangs, les fendit en deux tel un vêtement que l'on déchire. Menî et Thouyi profitèrent de la confusion pour briser l'étau, mais un appel, derrière eux, jeta la meute à leurs trousses. Menî se retourna, fit front en balançant son bâton à bout de bras. La main de Thouyi s'accrocha à son épaule.

— Là ! Là ! chevrota-t-elle. Il y a une entrée là-bas ! Un trou, une mine, une caverne, je ne sais pas !

Ils pataugèrent dans les rocailles à reculons, frappant de tous côtés pour éviter que les singes ne les débordent et ne leur coupent la voie du salut. Pas à pas, ils s'approchèrent de l'ouverture qui leur parut juste assez grande pour permettre le passage en rampant. Quand les babouins comprirent enfin que leurs proies risquaient de leur échapper, ils s'élancèrent en deux vagues simultanées. Trop tard !

Thouyi s'était engouffrée dans l'étroit boyau et Menî, derrière elle, à demi-engagé dans le tunnel, faisait dégringoler des blocs pour boucher l'issue. Il tortilla sur les genoux et sur les coudes pour se retrouver dans une galerie un peu plus haute où l'attendait la jeune fille. Elle avait enflammé une petite boule de graisse au moyen de deux silex qu'ils transportaient toujours dans leur sac, et la faible lueur éclairait un boyau creusé dans la roche rougeâtre par les tourbillons d'un torrent, il y avait des siècles de cela. Des glapissements leur parvinrent de l'extérieur.

— Ils débloquent l'entrée ! Ils seront là dans un instant !

Un rapide coup d'œil autour d'eux. Un rocher s'était effondré de la voûte et formait une table de pierre. Ils poussèrent, tirèrent... Menî utilisa le bâton comme levier pour approcher la pierre de l'entrée du tunnel et sceller définitivement le passage.

— Les babouins auront beau pousser, jamais ils n'arriveront à la déplacer.

Une patte griffue surgit de côté, à travers le léger intervalle entre le bloc et la paroi.

Elle s'excita inutilement contre la pierre. Menî lui assena un tel coup qu'aucune autre ne se risqua à nouveau dans l'interstice.

— Et maintenant ? demanda Thouyi.

— Suivons la galerie, elle mène forcément quelque part.

Le souterrain remontait en pente douce en décrivant un demi-cercle.

— La lumière faiblit, remarqua la jeune fille, je n'ai plus de graisse pour la rallumer.

Avant que la flamme ne mourût tout à fait, elle déchira des morceaux de sa tunique puis, avec les lambeaux, fabriqua plusieurs petites torches. Quand la flamme vacilla, se couchant pour s'éteindre, Thouyi embrasa la première. Mais le tissu brûla si vite qu'elle dut presque immédiatement allumer la seconde. En peu de temps ils épuisèrent toutes les torches. Et ce fut le noir.

— On est coincés ici, gémit Thouyi en s'asseyant.

Elle ramassa de la terre, se la fit couler sur la tête.

— Ma mère était pleureuse, reprit-elle pour expliquer son geste, elle a versé tant de larmes pour les autres. Aujourd'hui je vais mourir enterrée vivante, personne ne me pleurera ni gardera le souvenir de moi. Toi au moins tu as des parents, ils parleront de toi et, à travers leurs mots, ce sera comme si tu revivais une seconde fois.

Elle étendit ses jambes, termina :

— La vraie mort, c'est le silence. C'est quand ton nom ne siffle même plus entre les papyrus parce que le vent l'a oublié.

Menî se laissa tomber à côté d'elle. Elle posa sa tête sur son épaule, simplement, doucement, dans un mouvement de désespoir et de tendresse. Il appuya sa joue contre son front. À cet instant où tout semblait arrêté, où l'espoir était devenu de pierre, il ressentit l'envie de l'embrasser. Il pencha la tête... mais quelque chose attira son attention.

— Thouyi ! Thouyi !...

— Quoi ? Qu'est-ce qui... ?

— Il fait moins noir là-bas ! Est-ce qu'il y aurait... ?

Il eut peur de prononcer le mot, peur que l'espoir éclate comme du cristal. Elle regarda, cligna les yeux pour être sûre de ne pas se tromper. Le souffle lui remonta dans la poitrine. Elle se releva d'un bond, se cogna le crâne à la voûte mais son empressement était tel qu'elle ne prit pas le temps de pester. Ils se mirent à longer le tunnel en se guidant de la main, tâtant le roc. Une lueur grisonnante teintait un côté de la paroi, signalant un coude. Et brusquement le trou de lumière ! Le soleil enchâssé dans la roche ! La sortie, enfin !

— Pourvu qu'il n'y ait pas de babouins à nous attendre...

Menî serra plus fermement son bâton.

— Je ne pense pas, répondit-il, ils seraient déjà entrés.

Il n'y avait pas de babouins, mais point de sol non plus. Le souterrain s'arrêtait net sur le vide. Deux cents coudées de falaise à pic au-dessus et en dessous. Les adolescents n'auraient pas été plus atterrés si la montagne s'était écroulée sur eux.

Thouyi n'eut pas une parole. Elle s'accroupit contre la pierre, s'enroula sur elle-même comme si elle voulait disparaître entre ses jambes. Un crépitement éclata au-dessus d'eux. Menî crut que les singes descendaient par la falaise ; il pointa la tête, prêt à défendre chèrement leurs vies. Les ailes déployées, Horus essayait de s'accrocher des griffes à la paroi, mais il glissait sur la roche lisse et nue.

— Aide-moi !

Thouyi souleva une paupière, regarda Menî placer son long bâton au-dessus du vide.

— Aide-moi ! répéta-t-il. Viens t'asseoir avec moi sur son extrémité, qu'il ne bascule pas.

La jeune fille poussa un cri perçant lorsque l'immense faucon vint se poser sur le perchoir improvisé. Il était si grand qu'il n'aurait jamais pu s'introduire dans la galerie. Horus resta un moment immobile, les observant de son gros œil rond, les plumes agitées par un léger souffle de vent. Puis il parla. Et sa voix rebondit en écho dans la montagne.

— Je vole depuis si longtemps que mes ailes sont devenues aussi lourdes que l'airain. Mon oncle Seth a placé ses babouins sur tout mon territoire, m'interdisant de me poser. Sans vous, je m'effondrais, et les singes se seraient emparés de mon secret.

Thouyi hasarda d'une petite voix flûtée :

— Tu connais un secret que les autres dieux ignorent ?

— Râ m'a transmis le secret de l'immortalité. C'est un fardeau énorme. Je me le répète sans cesse de peur de l'oublier, mais je crains qu'à la longue je n'en altère le contenu car les mots finissent par créer d'autres mots qui, même s'ils se ressemblent, diffèrent par leur sens.

— Je comprends pourquoi les babouins essayaient de voler, dit Menî. Ils voulaient te pourchasser dans les airs.

— Ils chantaient aussi pour apitoyer Râ, pour qu'il les choisisse, eux, pour dépositaires. N'y réussissant pas, poursuivit le dieu, ils ont trouvé plus commode de m'épuiser. Ils savaient que tôt ou tard mes forces m'abandonneraient. S'ils sont éternels, les dieux ne sont pas pour autant invincibles. Mais si le dieu du Mal parvient à se doter d'une armée d'immortels, alors oui, il sera invincible.

— Repose-toi bien ô divin Horus, et tu pourras reprendre ton vol d'éternité.

— Mais pour combien de temps ? intervint Thouyi. Ses ailes s'alourdiront à nouveau et il finira par radoter s'il fait un bouillon de ses mots.

Horus secoua ses plumes.

— Comment garder la connaissance sans se la réciter de l'aurore au coucher et de la nuit naissante à l'aube ?

— On ne peut pas, reconnut Menî, on ne peut pas.

Thouyi réfléchissait, marmonnant :

— Il faudrait... il faudrait que les mots laissent une trace, un peu comme le soleil étire ses traînées de lumière dans le ciel, ou le feu ses colonnes de fumée. Il faudrait pouvoir arrêter le vol de l'oiseau et comprendre, en le voyant, qu'à ce moment il bat des ailes.

— Où veux-tu en venir ? l'interrogea Horus.

— Le même oiseau, le même soleil ou le même feu exprimeraient chaque fois le même mot, la même idée. En les mêlant, on pourrait combiner des phrases à l'infini. Dès lors, tu n'aurais plus besoin de rabâcher ton secret d'une montagne à l'autre, et le temps ne viendrait plus hocher les mots pour les troubler dans ta mémoire.

— Il me serait alors facile de dissimuler mon secret quelque part et de retrouver ma course libre dans le ciel.

— En admettant que les singes finissent par le découvrir, renchérit Thouyi, ni Seth ni eux ne pourraient l'utiliser car ils n'en comprendraient pas le sens.

Menî se mit tout à coup à frissonner comme si une glissée de vent était venue lui glacer le dos.

— J'ai trouvé ! s'écria-t-il, j'ai trouvé !

Sans se relever, il prit le sac, l'ouvrit, sortit sa peau d'oryx qu'il déroula sur ses cuisses. Il déposa les petits sachets de poudre devant lui, demanda à Thouyi de lui confectionner des pâtes de différentes couleurs en les délayant dans l'eau qui restait dans la gourde.

— C'est pour mes yeux, mes sourcils et mes joues ! s'indigna-t-elle. Pas pour sceller le secret des dieux !

— Je t'en fournirai d'autres.

De mauvaise grâce, Thouyi prépara les couleurs, fonçant les unes en y incorporant un peu de terre, éclaircissant les autres en opérant de judicieux mélanges. Pendant ce temps, Menî réalisait avec son doigt des dessins sur le sol, expliquant :

— Si l'idée de vent est nécessaire, je la signifierai par une voile gonflée, parce que c'est ainsi qu'on le voit sur le Nil. Je représenterai Râ par son disque solaire, précisa-t-il en traçant un cercle entre ses pieds. Des vaguelettes pour le fleuve ou l'eau en général, un roseau pour une île...

— Pour le feu une vipère à cornes, compléta Thouyi, et pour les mauvais esprits de la nuit un cobra en train de monter des marches. Tu ne dois pas rendre l'idée trop claire, sinon chacun sera capable d'en interpréter le sens.

Horus convint que la jeune fille avait raison. Mais avant de livrer son secret...

— Je vous préviens cependant que l'immortalité ne peut être transmise aux hommes. Je serai obligé de vous tuer quand les mots seront transcrits sur la peau.

Thouyi se hâta de répondre :

— Ne te donne pas cette peine. Je vais boucher mes oreilles avec deux pincées de cire, plaquer mes mains dessus et fermer très fort mes paupières. Ainsi, je n'entendrai ni ne verrai...

— Et ce garçon ? coupa le dieu. C'est lui qui va tracer les signes.

— N'aie crainte. Je lui ferai boire le philtre de l'oubli une fois qu'il aura regagné son palais. J'ai besoin de lotus jaunes qui ne poussent que dans les bassins de Nekhen, précisa-t-elle pour expliquer pourquoi elle ne pouvait préparer sa potion plus tôt. Et puis je n'ai pas envie de rentrer avec quelqu'un qui ne saura même plus qui je suis.

Horus les observa tous deux un bref instant, puis :

— J'ai confiance. Mais plutôt que de tremper ton doigt dans la peinture, prends donc une de mes plumes. Tes signes gagneront en finesse et en précision.

Menî s'exécuta puis, d'un coup de dents, il tailla la penne en biseau, le trempa dans la teinture de réalgar[1] et s'appliqua à dessiner le soleil, car c'est du grand dieu Râ que naissait toute création. Le dieu parla, parla... et Menî transcrivait, fignolant ses hiéroglyphes en les rehaussant d'un contour noir. Lorsque Horus se tut enfin, la peau était remplie de

1. Minerai d'arsenic.

signes. Il ne restait qu'un tout petit espace non utilisé. Menî donna un léger coup de coude à son amie pour lui faire comprendre que c'était terminé.

— Puisque tu vas perdre le souvenir de tout cela, reprit le faucon en se lissant le bec sur les serres, je te permets de conserver une seule chose : dessine mon œil au bas de cette peau, puis découpe-le et garde-le sur toi. Il te donnera force et courage, te guidera sur le chemin de la sagesse et te garantira un cœur pur.

Quand il eut dessiné l'œil d'Horus, Thouyi tendit son visage vers Menî.

— J'y ai droit moi aussi, dit-elle. Peins-le autour de mes yeux, et n'aie pas peur de noircir mes sourcils ni de passer du bleu sur mes paupières. Ainsi je n'aurai pas tout perdu.

Le faucon s'envola peu après, son terrible secret tenu entre les serres.

Ce soir-là, Râ ne s'enfonça pas tout de suite derrière l'horizon. Averti par Horus, il décida d'appeler les signes tracés sur la peau d'oryx « écriture » et créa le dieu Thot afin qu'il s'en instruise et en devienne l'initiateur. Il donna à Thot la forme de l'ibis au vol magnifique, car l'oiseau détruisait les nids de serpents après la décrue, « Serpents qui sont les créatures abjectes d'Apopis », termina Râ.

Le dieu solaire allait glisser à l'occident lorsqu'il se ravisa. Il rappela Thot, lui donna l'ordre d'aider les deux adolescents bloqués sur la montagne des singes. Pour ce faire, il lui accorda la faculté de se transformer en babouin, arguant :

— Mieux vaut, dans certains cas, passer pour un babouin plutôt que pour un dieu.

Depuis ce jour, Thot enseigne l'art des hiéroglyphes, mais les singes ne savent toujours pas écrire.

Chapitre 15

La serpente

Appuyé à la rambarde de sa terrasse, Antaref regardait, sans les voir, les serpents or-feu qui ondoyaient à la surface du Nil. Le crépuscule enflammait la terre et les eaux, et des pouces d'ombre montaient déjà à l'est, enténébrant les massifs.

— Tu veux que je danse pour toi ? roucoula Sinsacré la belle en se coulant à son bras.

Le roi grogna mais il ne la repoussa pas.

« Il pense encore à son fils, se dit la jeune femme, mais je saurai bien le lui faire oublier. »

— Tu te jaunis le sang pour rien, susurra-t-elle, Menî ne reviendra pas ce soir. Personne ne sait où il s'en est allé. Peut-être est-il caché tout près d'ici ? La peur d'oser un pas le tient terré dans quelque trou, et il sait qu'il ne peut plus reparaître devant toi. Rentrons, il est temps de songer à un nouvel héritier... et à une nouvelle reine.

— Nef'eter ne quitte plus sa chambre depuis que Menî est parti. Elle ne mange plus, ne dort plus, passe ses journées et ses nuits à verser, des larmes. L'air du jardin lui ferait le plus grand bien...

— Elle est faible. Il faut au roi une femme forte qui tienne sa tête droite en toutes circonstances, porte haut sa couronne et soit capable d'assurer une lignée de choix. Un lion réclame un lionceau, pas un petit chaton.

Antaref se retourna, remarqua que l'on bougeait dans la chambre de son fils. Il soupira :

— À moi aussi, mon fils me manque.

— Allons donc, le secoua Sinsaéré, le roi ne doit pas s'effacer devant le père.

Antaref ignora la réaction de sa favorite.

— Chaque soir, sa mère fait préparer sa chambre, poursuivit-il. Une servante étend des draps frais sur les coussins de son lit, dépose des fruits sur une table, presse leur jus dans une coupe, relève le rideau pour faire entrer le frais. Au matin tout est jeté, et Nef'eter s'abîme un peu plus dans la morosité. Je crains qu'elle ne refuse bientôt de me parler.

Sinsaéré prit sa voix la plus suave pour déclarer :

— Tu as agi en souverain. Si Menî n'a pas surmonté ses épreuves ou s'il s'est comporté en lâche, c'est que les dieux ont jugé qu'il n'était pas digne de te succéder. Les larmes de Nef'eter n'y changeront rien. Chasse ces nuages de ton esprit, ô Nésout, et envisage l'avenir : je suis à tes côtés.

Le roi ne répondit pas. Il jeta un dernier regard sur la fenêtre de Menî, sur le jardin où les grappes rouges des fleurs de tamaris alternaient avec la blancheur des lys. Des saules, des bambous et des sycomores entouraient un grand bassin d'eau où nageaient des poissons multicolores et de larges nénuphars. Puis Antaref tourna les talons et rentra dans son palais. La nuit recouvrit l'Égypte, éteignant peu à peu la ville. Le Nil devint un serpent froid, un coulis de nacre entre des ombres épaisses.

Appuyée à sa fenêtre, Sinsaéré la belle respirait le parfum d'un lotus. Elle n'avait pas envie de dormir. Son regard embrassait l'espace englobant la terre et le ciel.

« Bientôt tout sera à moi, jubilait-elle. Je pousserai Antaref à s'emparer de Bouto et du pays de Gochen[1]. Quand l'Égypte tout entière m'appartiendra, je lancerai des expéditions chez les Syriens, chez les Nubiens, chez... »

Son rêve grimpait aux étoiles. Il ne lui restait plus qu'à attendre que le roi répudie Nef'eter, mais cette attente même lui était insupportable. Si Antaref tardait à prendre sa décision, Sinsaéré introduirait un cobra dans la chambre de la reine.

1. L'est du Delta.

Une fois Menî chassé des pensées du roi, plus personne alors n'entraverait l'accession de Sinsaéré au trône. « Et mon fils jouira de l'immense royaume que je lui aurai façonné. » Elle allait quitter sa fenêtre quand elle surprit des voix. Pas des voix claires, ni l'appel sec lancé par un garde, mais des murmures confus. Des palmes s'agitèrent, les feuilles des bambous rendirent un son froissé. Sinsaéré se plaqua derrière le montant de l'embrasure. « Des voleurs s'introduisent par le jardin... » Elle s'apprêtait à aller prévenir les gardes mais un détail la retint. Elle risqua un coup d'œil au-dehors, tiqua. Il y avait deux individus, plus petits que des adultes. Leurs silhouettes se découpèrent devant la tache plus claire du bassin ; l'une d'elle chuchota :

— Je ne comprends pas pourquoi tu m'as forcé à entrer chez moi par le jardin alors que la grande porte...

— Chut, coupa l'autre, j'aime autant ne pas rencontrer les gardes du palais : certains se sont déjà épuisés derrière moi.

— Mais mon père... ma mère...

— Tu les verras demain, ils doivent dormir maintenant, brisés par les courbettes et les servitudes. Leur surprise n'en sera que plus grande au réveil. Dans quel appentis loges-tu ?

— C'est cette fenêtre...

Sinsaéré n'écoutait plus. Les mains pressées sur son cœur, elle essayait de retrouver sa respiration. Non, elle ne se trompait pas, cette voix... Menî était de retour ! Vite, très vite, elle sortit un poignard de son coffre et courut vers la chambre du fils du roi.

« C'est une chance que personne ne soupçonne sa présence, se dit-elle. Je tuerai Menî durant son sommeil et traînerai son corps jusqu'au bassin des crocodiles. Il ne restera pas un os, pas un ongle, pas un cheveu de lui. Jamais cette fille qui l'accompagne ne saura expliquer le sang dans le lit, et on l'enterrera vivante comme une jeteuse de sorts. »

Menî était enfin parvenu à s'accrocher des mains au rebord de la fenêtre.

— C'est la première fois que j'entre chez moi de cette manière, souffla-t-il. C'est amusant.

— Dépêche-toi, tu es lourd, gémit Thouyi qui avait ses pieds sur les épaules. Tire sur tes bras.

— Pousse-moi. Je n'ai pas la force de...

— L'aventure t'a pourtant fait fondre, grogna-t-elle avec une mimique de douleur, mais tu n'as pas plus de vigueur qu'un porcelet.

Elle lui attrapa les talons, l'aida à gagner quelques pouces. Menî passa un bras dans l'embrasure, s'agrippa à la tablette, réussit à se hisser jusqu'à la fenêtre qu'il enjamba. Puis il saisit le sac.

— Il est lourd, chuchota-t-il. Tu avais vraiment besoin de ramener tout ça ?

— Rappelle-toi ta promesse à Horus : je dois te préparer le philtre magique. Mais attention, tu n'en boiras qu'une seule gorgée, sinon tu perdras toute ta mémoire.

Menî lui tendit la main. Thouyi l'atteignit d'un bond, se laissa tirer à l'intérieur de la pièce. Elle alluma aussitôt une petite lampe à graisse qui se mit à fumer en grésillant légèrement.

— Pfui ! siffla-t-elle en observant autour d'elle, tu es sûr de ne pas t'être trompé de chambre ?

— Je te l'ai dit maintes fois, Thouyi, je suis le fils du roi.

La jeune fille grimaça un drôle de sourire : cette fois, le doute s'insinuait vraiment en elle.

— Tu te moques de moi, fit-elle... on ne doit pas rester ici.

— Qu'Horus me rende muet à l'instant si je mens : je t'assure que je suis le fils d'Antaref... Tu vois, je suis encore doté de la parole.

Thouyi s'assit sur un divan posé contre le mur.

— Alors ça... balbutia-t-elle, alors ça... Et moi qui...

La flamme dégageait un simple halo de lumière et la moitié de la pièce était noyée dans l'ombre, mais ce qu'elle découvrait dépassait de loin tout ce qu'elle aurait pu imaginer. La chambre de Menî était un petit palais à elle seule : des colonnes étaient peintes sur les murs et semblaient supporter un plafond constellé d'étoiles, telle la voûte céleste.

De lourdes tentures coulissant sur des tringles représentaient des scènes de la vie paysanne, de chasse, de pêche. Un grand lit carré trônait au centre de la pièce.

— Je n'ai jamais vu un lit comme celui-là, s'émerveilla Thouyi en passant sa main sur le bois recourbé et finement décoré qui fermait le lit du côté des pieds. On dirait une vague déferlante, comme celles qu'on a vues à la grande cataracte.

Pendant que Thouyi promenait un regard stupéfait autour d'elle, Menî vidait le sac sur le sol. Il ramassa la larme de Sobek, la dent de Sekhmet et la plume d'Horus, et les déposa sur un guéridon en osier.

— Pourquoi ton père t'a-t-il obligé à subir ces épreuves ? demanda-t-elle.

— Je ne ressemblais pas, à son goût, à l'image qu'il se faisait d'un fils de roi. En rapportant les preuves de mes exploits, je me montre digne de lui.

— Que serais-tu devenu sans l'hirondelle ? sourit Thouyi. Je vais te préparer le philtre, mais ne le bois pas tout de suite. Attends que je sois partie. Je veux me souvenir du Menî que tu étais, pas du futur souverain que tu vas devenir. D'autant que tu risquerais de jeter les gardes à mes trousses.

— Je me suis attaché à toi. Demeure avec moi au palais, ma mère...

Elle étouffa ses mots par une simple pression de ses doigts sur les lèvres de Menî.

— Je ne tiens pas à devenir une servante, une demoiselle de compagnie, ni même plus tard ta favorite. Un de tes gardes finirait par me reconnaître, et puis je ne suis pas à l'aise dans un palais : j'ai besoin de la poussière chaude et souple de la rue, ces dalles sont trop dures et trop froides pour mes pieds nus. Crois-moi, le fils du roi doit oublier la petite voleuse. Au réveil, tu ne te souviendras plus que j'existais.

— Je n'ai pas envie de t'oublier.

— Plus un mot. Râ nous changerait en moisissure si nous trahissions notre promesse.

Ils se dévisagèrent, yeux dans les yeux. Menî se pencha pour l'embrasser mais, d'une virevolte, elle s'écarta et s'approcha de la petite table où reposaient la corbeille de fruits et la coupe remplie de jus déposées par la servante.

— Va te coucher, ordonna-t-elle, et laisse-moi travailler.

Menî la regarda malaxer ses pétales de lotus jaunes, mais ses paupières s'alourdissaient déjà et il alla s'étendre sur son lit. Il sombra aussitôt dans un profond sommeil. Les yeux embués de larmes, Thouyi acheva de préparer sa décoction. Puis elle s'assit devant le lit, s'attacha à fixer l'adolescent, à écouter le rythme régulier de sa respiration.

« Tout ça n'est pas pour moi, se répétait-elle, tout ça n'est pas pour moi : ce luxe, cette existence facile où il suffit de claquer des doigts pour être servi... Et puis je m'ennuierais. »

Elle aurait pu sauter par la fenêtre, s'enfuir par le jardin et se perdre dans les rues de nuit. Elle préféra rester un moment, pourtant, et s'allongea sur le divan. Sans qu'elle en eût conscience, son esprit s'embruma et elle finit par s'endormir.

La tenture bougea. Sinsaéré la belle sortit de sa cachette, le poignard à la main.

« Les dieux sont avec moi, se réjouit-elle, ils m'offrent la gorge de Menî et un philtre magique. Si cette fille l'a préparé pour lui, c'est que ce breuvage doit prodiguer toutes les vertus afférentes à un roi : la force, le courage, la puissance. »

Sans hésiter, elle s'empara de la coupe, la porta à sa bouche, la vida à longs traits, puis elle se dirigea vers le lit, brandissant l'arme...

Épilogue

La parole de Râ

Thouyi s'éveilla un peu avant l'aurore. Elle remarqua tout de suite que la coupe contenant le philtre de l'oubli n'était plus à sa place. Ses yeux se posèrent sur la forme inerte qui bosselait le drap ; elle fut tentée de s'approcher du lit, hésita, préféra enjamber la fenêtre.

Elle ne voulait pas garder l'image de Menî la dévisageant avec une mine ahurie avant de lancer l'alarme.

— Que l'œil d'Horus te protège, murmura-t-elle du bout des lèvres.

Puis elle sauta dans le jardin.

Des appels éclatèrent un peu partout dans les couloirs du palais : Oubiou avait trouvé Sinsaéré hagarde en train d'errer près du bassin des crocodiles. Elle ne savait pas ce qu'elle faisait là et avait perdu jusqu'au souvenir de son nom.

Menî bougea, se retourna, grogna comme un gros chat que l'on dérange. Il émit un bruit de bouche, un petit lapement, sortit la pointe de sa langue. Il avait encore sur les papilles le goût sucré de la boisson préparée comme chaque soir pour lui, sur ordre de sa mère : il l'avait bue au milieu de la nuit, croyant avaler le philtre de l'oubli. Quels fruits Thouyi avait-elle pressés avec ses lotus ? Il se redressa d'un bond.

— Thouyi ? Mais alors...

Natsi se frottait le ventre de satisfaction : sa pâtisserie était encore plus belle que l'oiseau de paradis réalisé trois semaines auparavant et que cette hirondelle lui avait dérobé. Il avait même réalisé un lac de miel autour du magnifique ibis mordoré à souhait.

— Je ne le céderai qu'au roi, claironnait-il, et encore faudra-t-il qu'il m'en donne un collier de turquoises !

Il quitta son prodige des yeux le temps d'un éclair, le temps de surprendre un vol de hérons dans le ciel. Cela suffit : Thouyi avait bondi.

— Ainsi, dit Râ du haut de ses rayons, l'Histoire suit son cours.

Pour en savoir plus...

La mythologie égyptienne

La naissance de la mythologie

À l'origine existait le chaos, masse liquide inerte ou océan primitif sans rivage, le Noun, dont les vagues déferlaient dans l'immensité des ténèbres. La naissance des mythes étant étroitement liée à ce que les Égyptiens avaient quotidiennement sous les yeux, le Noun rappelait le Nil au moment de sa crue. Peu à peu, du fond des eaux, s'éleva une masse de sable et de boue qui finit par émerger, constituant la Colline Primitive. C'est là qu'apparut un œuf (certains mythes parlent d'un lotus), et de cet œuf naquit le Soleil Râ.

Râ donna aussitôt le jour à des enfants afin de créer et d'ordonner le monde. Shou (l'Air) et Tefnout (le Feu) engendrèrent à leur tour Geb (la Terre) et Nout (le Ciel), mettant fin au chaos et donnant équilibre et vie à l'Univers. Apparurent ensuite le couple représentant les forces créatrices terrestres (Osiris et Isis) et le couple destructeur (Seth et Nephtys), continuellement en lutte l'un contre l'autre et symbolisant le combat du Bien contre le Mal. Il est à noter cependant que seules les divinités masculines s'opposent, Nephtys aidant sa sœur Isis dans toutes les occasions.

*

Le dieu Sobek

Très ancien dieu de la région du Fayoum, à l'ouest du Nil, en Moyenne-Égypte, Sobek était considéré comme le maître de l'Univers, et parfois assimilé au Soleil. À la fois dieu suscitant la crainte et dieu de la fertilité, il était adoré à Dja (Crocodilopolis) où le clergé élevait, soignait, nourrissait des quantités de crocodiles. Plus tard, on lui éleva un sanctuaire à Noubt (Kôm Ombo) qu'il partagea avec le dieu Horus. Au sud de son temple se trouvait une sépulture contenant les momies des crocodiles sacrés.

*

La déesse Sekhmet

Les mythes racontent qu'au début des temps, les hommes se montraient respectueux et dociles aux volontés divines. Mais Râ vieillissant, certains osèrent relever le front et perdirent le respect qu'ils devaient au dieu. Leurs propos se firent même si hostiles que Râ décida de convoquer le conseil des dieux : celui-ci décréta que les hommes devaient être punis. Râ créa donc, à partir de son œil, la déesse lionne Sekhmet dont le nom signifie « la Puissante ». Elle fondit sur les hommes, massacrant indifféremment innocents et coupables. Cela dura toute une journée, le 5 du mois de tybi, qui resta dans les mémoires comme un jour particulièrement hostile...

Pourtant le carnage déplut à Râ : il voulait mater la révolte et châtier les coupables, non détruire l'espèce humaine. Il ordonna donc à Sekhmet de cesser le carnage mais, ayant goûté au sang, la déesse refusa d'obéir. Râ attendit alors la nuit et le moment où, épuisée, la lionne se coucha et s'endormit, pour lui tendre un piège. Il envoya des messagers vers l'île d'Éléphantine pour lui en rapporter des mandragores et une grande quantité de grenades. Il fit piler le tout et le mélangea avec de la bière et le sang des hommes prélevé sur les victimes de Sekhmet. Des servantes en remplirent sept mille cruches qu'elles allèrent déposer auprès de la tueuse assoupie.

À son réveil, assoiffée, la déesse se précipita sur l'élixir et vida toutes les cruches. Ivre et repue, elle s'éloigna en titubant, sans plus songer à nuire aux hommes. Dans sa grande sagesse, Râ se doutait que, son ivresse dissipée, la lionne retrouverait sa fureur. Il commanda aux hommes de brasser régulièrement des cruches de bière et de les offrir à Sekhmet de façon à l'apaiser.

La déesse lionne devint une déesse guerrière, commandant aux messagers de la mort et responsable des épidémies, mais si l'on arrivait à calmer Sekhmet, il était possible d'utiliser sa force dans un dessein bénéfique.

*

Le dieu Horus

Le nom d'Horus désigne plusieurs dieux. C'était à l'origine le dieu du ciel représenté sous la forme d'un faucon aux plumes bigarrées et dont les yeux étaient le Soleil et la Lune. Il fut plus tard identifié au fils d'Isis et d'Osiris. Son père avait été tué par le dieu Seth au cours d'un banquet, enfermé dans un cercueil puis jeté dans le Nil. Isis finit par retrouver son mari défunt et alla se cacher dans les marais du lac Burlos, à Chemnis, non loin de Bouto, dans le Delta. C'est là qu'elle mit au monde son fils Horus, dont le nom signifie « l'Éloigné ». Élevé en cachette, dans la crainte perpétuelle d'être découvert et tué par son oncle Seth, il fut un jour piqué par un scorpion et ne retrouva la vie qu'après l'intervention du dieu Thot qui parvint à ranimer l'enfant grâce à ses connaissances secrètes. Allaité par la vache Hathor, protégé par le cobra Ouadjet, Horus-enfant dut affronter de multiples périls pour survivre : fièvres des marais, maladies des yeux, morsures de reptiles, incendies de broussailles...

Lorsque les forces d'Horus furent suffisamment fermes, Osiris revint un instant sur Terre pour armer son fils et lui enseigner les techniques du combat, car Horus avait hâte de châtier les ennemis de son père et de retrouver son trône usurpé par Seth. Quand Seth apprit qu'Horus et ses fidèles se préparaient à l'attaquer, il réunit ses partisans qui se métamorphosèrent en animaux divers, et la guerre commença. Accrochages et batailles se multiplièrent, mais aucun des deux adversaires ne l'emporta. L'ultime affrontement eut lieu à Edfou. Horus, sous la forme d'un faucon, s'éleva de la mêlée et chercha son ennemi qu'il reconnut sous l'apparence d'un hippopotame. Il fondit sur lui du haut des cieux, le blessa avec ses serres, mais Seth se transforma en gazelle et s'enfuit. Horus prit alors l'aspect d'un lion à tête humaine et le poursuivit, mais Seth s'échappa encore...

Lassés de la guerre qui s'éternisait, les dieux convoquèrent les deux rivaux devant leur tribunal.

Geb proposa un partage de l'Égypte, offrant le Delta à Horus et la vallée du Nil à Seth. Les dieux reconnurent cependant Horus comme l'héritier légitime d'Osiris et lui attribuèrent la totalité du pays. Horus devint ainsi le dieu souverain unificateur de l'Égypte. Il est souvent représenté coiffé du pschent, la double couronne symbolisant l'union de la Haute et de la Basse-Égypte.

Alain Surget

Alain Surget

L'auteur est né à Metz en 1948. Dès l'âge de seize ans, il commence à écrire du théâtre et de la poésie. Instituteur, il continue des études à l'université et devient professeur en 1977. Il se tourne alors vers le roman. Marié, père de trois enfants, il aime se déplacer dans toute la France à la rencontre de son public.

Chez Flammarion, il signe les séries *Pavillon noir* et *Les enfants du Nil*, ainsi que les titres *Mystères au donjon, Mary Tempête* et *La septième fille du diable.*

Table

Imprimé à Barcelone par:

Flammarion s'engage pour l'environnement
en imprimant l'ensemble de ses livres de poche
sur du papier issu de forêts gérées durablement.

Dépôt légal : août 2010
N° d'édition : L.01EJEN000435.C004
Loi n° 49-956 du 16 juillet 1949
sur les publications destinées à la jeunesse